Prosperidade Suprema

OS **7 PASSOS** QUE FALTAVAM PARA
VOCÊ TER TUDO O QUE DESEJA!

Prosperidade Suprema – Os 7 passos que faltavam para você ter tudo o que deseja!

1ª edição: Janeiro, 2024

O conteúdo desta obra é de total responsabilidade do autor e não reflete necessariamente a opinião da editora

Autor:
William Sanches

Projeto gráfico:
Claudio Szeibel
designed by freepik.com

Revisão:
3GB Consulting

DADOS INTERNACIONAIS DE CATALOGAÇÃO NA PUBLICAÇÃO (CIP)

Sanches, William
Prosperidade suprema – Os 7 passos que faltavam para você ter tudo o que deseja! / William Sanches. – São Paulo : Citadel, 2024.
208 p. ; il., color.

ISBN 978-65-5047-282-5

1. Autoajuda 2. Desenvolvimento pessoal 3. Sucesso
4. Autorrealização I. Título

23-6938 CDD 158.1

Angélica Ilacqua - Bibliotecária - CRB-8/7057

Produção editorial e distribuição:

contato@citadel.com.br
www.citadel.com.br

WILLIAM
SANCHES

Prosperidade *Suprema*

OS **7 PASSOS** QUE FALTAVAM PARA
VOCÊ TER TUDO O QUE DESEJA!

2024

Dedico esta obra a você, que me abraça, me olha nos olhos com sinceridade e sempre me agradece por algo. Você acha que eu o ajudei de alguma forma, mas no fundo é você que deu sentido a minha vida.

Introdução

> *"Ninguém caminha sem aprender a caminhar, sem aprender a fazer o caminho caminhando, refazendo e retocando o sonho pelo qual se pôs a caminhar."*
> ***Paulo Freire***

A ponte cobre o rio ligando sempre um lado ao outro; veja, a ponte é só a ponte, o rio é só o rio, cada um cumprindo sua missão, mas se eu não decidir caminhar, dar o primeiro passo, ficarei para sempre do lado de cá!

Posso escolher pôr a culpa no rio que está no meio do caminho, posso decidir reclamar da ponte que não está na cor que eu gosto, posso olhar para os lados e ver que ninguém me apoia, sentar e chorar, mas, no fim de tudo, o que permanece igual mesmo é minha vida.

A vida é construída à medida que tomamos consciência, decisão e ação. Como dizia Napoleon Hill, "A ação é a verdadeira medida da inteligência".

Este é um livro de descobertas, decisões e ações. Como um time, tudo precisa funcionar como uma engrenagem, em que cada peça é fundamental.

Uma parte precisa andar de mãos dados com a outra, senão os resultados positivos não vêm.

Este livro é como a ponte e o rio a sua frente, mas a ação

de caminhar é sua. Completamente sua. Cora Coralina escreveu que “o que vale na vida não é o ponto de partida, e sim a caminhada. Caminhando e semeando, no fim, terás o que colher”.

Percebe que em todos os momentos só se faz o caminho mesmo caminhando?

Eu estou aqui, e vou ajudá-lo mostrando as coisas que vi e aprendi quando decidi caminhar pela ponte e cruzar o rio. Deixando de um lado a escassez, atravessando a ponte e chegando do lado de cá, onde estou agora.

A Prosperidade Suprema fará sentido para você quando olhar para trás e ver que não tem mais vontade de voltar. Que esta é margem do rio em que deseja estar. Que este é o lado que lhe traz paz.

William Sanches

SUMÁRIO

1º Passo

Prosperidade é harmonia

Primeiro Passo *positivo*

Comece com o **Primeiro Passo Positivo (P.P.P.)**. Você está aqui e a decisão boa de melhorar foi dada, não tem volta, porque o primeiro passo foi dado. Vamos estudar a **Prosperidade Suprema em 7 Passos.**

Dar um passo positivo é estar cada vez mais perto de nossos objetivos.

Uma dica que dou é, para melhor aproveitar o livro, desconectar-se do mundo lá fora por algum momento e abrir sua mente para tudo o que será revelado aqui.

Lembre-se, você é o mestre do seu destino e pode moldar sua vida do jeito que desejar. A partir de agora, a prosperidade suprema se inicia.

A vida é feita de escolhas. Fazemos nossas escolhas e, a partir delas, determinamos nossas ações e começamos a construir nossa vida. A verdade é libertadora. A ilusão de que não podemos ser melhores ou mais prósperos já não existe mais.

E agora, antes de continuar a ler este livro, repita para si mesmo estas palavras:

Agora, me conecto com a verdade do amor supremo, com a fagulha divina dentro de mim. Abro minha mente, afasto o orgulho e começo a enxergar novas possibilidades e caminhos a partir deste momento.

Eu me aceito, me centro em mim mesmo e permaneço firme no meu propósito. Eu me conecto aqui e me desconecto do exterior por alguns momentos

Esse é o primeiro passo para encontrar a paz interior. Passo a passo, vamos seguindo.

Você vê tudo pelo lado positivo e despertou para uma nova realidade. E ao avançar, você ajuda outras pessoas a progredirem também. Lembre-se do nosso maior ensinamento: "Eu me amo, está tudo bem".

Agora, respire fundo, solte o ar e se espreguice com prazer. Diga em voz alta e com convicção: "Ah, como é bom ser rico".

Quando lemos um livro, precisamos saber o que queremos, o que buscamos. É como se estivéssemos diante das Cataratas do Iguaçu: se você for com um copinho de café, vai encher esse copinho; se for com um balde, vai encher o balde; se for com um caminhão-pipa, vai encher o caminhão. Mas, às vezes, vamos para a vida com o copo virado para baixo, com o balde virado para baixo. Então, neste livro, esteja aberto para absorver tudo o que for para você.

Pode ser que encontre uma frase, uma afirmação positiva ou uma conversa que destrave algo dentro de você. Pode ser que uma ideia rentável surja ou que uma dor profunda seja aliviada.

Não é necessário que todo o livro seja para você; às vezes um trecho, uma frase é suficiente. Mas o livro é terapêutico do início ao fim, tratando você a cada momento.

O que é prosperidade *para você?*

Prosperidade pode significar coisas diferentes para pessoas diferentes. Alguns podem imaginar uma Ferrari vermelha, uma casa em um condomínio de luxo, viagens de primeira classe para a Europa. Outros podem sonhar com uma fazenda, animais, espaço para cultivar. E ainda há aqueles para quem prosperidade significa ver um filho se formar, superar uma doença ou viver em paz.

A verdadeira prosperidade é
quando todos os aspectos
DA NOSSA VIDA
estão em harmonia.

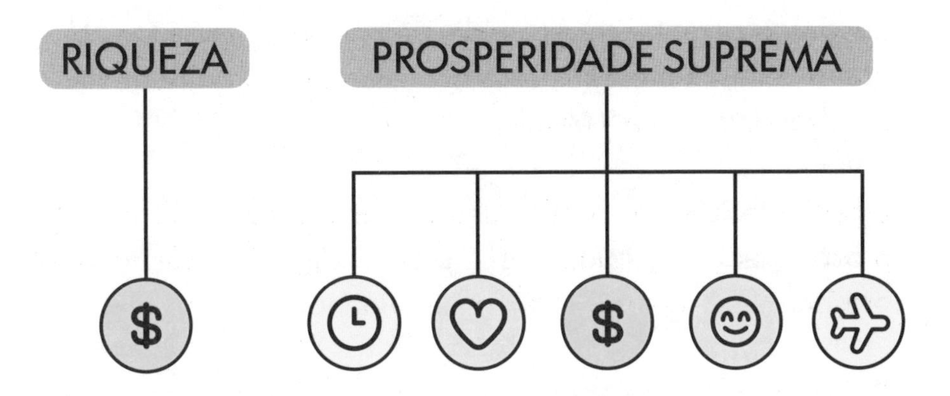

Você verá que falarei muito em harmonia, pois, enquanto o equilíbrio sugere estabilidade e constância, a harmonia sugere sintonia e fluidez, como nosso corpo, que, quando desequilibrado, busca automaticamente se harmonizar novamente.

Lembre-se, enquanto você estiver vivo, sempre haverá a chance de redefinir sua vida, de transformá-la e fazer uma grande mudança. Por isso, não deixe que crenças limitantes tomem conta de você e impeçam seu progresso.

Esta pergunta que vou lhe fazer talvez nunca ninguém tenha feito a você, por isso responda com amor e sinceridade.

Você quer chegar *ao fim da sua vida* SE ORGULHANDO OU SE ARREPENDENDO?

Essa pergunta é profunda. Antes de seguir, respire e pense um pouco.

Ela não é para lhe trazer culpa, não estamos falando sobre quem você foi até aqui, estamos falando sobre quem você quer ser daqui para a frente.

Prosperidade está dentro de nós. E quando falamos de prosperidade, estudamos prosperidade, vivenciamos prosperidade, atraímos mais prosperidade.

O importante é entender que existe sempre algo tentando se comunicar conosco. Uma pergunta, uma história, uma reflexão...

Use o termo que fizer mais sentido para você, seja Deus, Vida ou Universo – eu particularmente prefiro "Universo", por acreditar em sua conotação mais abrangente e universal.

Falando como alguém que acredita na trindade corpo, mente e alma, percebo que há uma energia dentro de nós que nos atrai para algumas pessoas e nos repele de outras.

Sabe quando você sente vontade de ficar perto de alguém e o contrário também acontece? Não é porque minha mãe falou ou mandou dizer, mas sim por causa da energia e vibração daquela pessoa. Mas não foi sempre que pensei dessa forma. Nem que fui assim.

Aos 22 anos eu era muito diferente, inclusive, parecia mais velho do que hoje.

Foi um período em que, ao sentir um "clique" mental, decidi não aceitar mais algumas imposições da vida. Eu na verdade nunca aceitei a escassez, a falta, a feiura, o medo de não ter.

Primeiro, me formei em Letras e comecei a lecionar bem cedo, aos 17 anos. Lecionei por dez anos, inclusive como professor universitário, período em que lancei meus dois primeiros livros. Este que estou escrevendo agora é meu 27° livro.

Depois de dez anos como professor, fiz a transição de carreira para ser terapeuta – sempre fui apaixonado pelas questões que envolvem a alma e a mente.

Fiz diversos retiros e cursos; bem, minha formação em resumo está na orelha deste livro, não interessa repetir aqui, mas o que eu quero que você perceba é que sempre há tempo e oportunidade de mudar.

Enquanto você estiver vivo, sempre existirá a chance de ressignificar a sua vida.

Às vezes olhamos para nossa vida e pensamos "é assim mesmo", criando raízes e nos recusando a mudar. Eu tinha colegas de trabalho que, na sala dos professores, esperavam ansiosamente para não terem aulas ou comemoravam quando o salário caía, mesmo sendo baixo.

Depois, ao dar aulas em escolas particulares e universidades, percebi que as reclamações eram as mesmas, sempre carregadas de afirmações negativas.

Foi então que algo dentro de mim clicou, uma espécie de virada de chave, fazendo-me enxergar as coisas de uma forma diferente.

Já lia muito sobre prosperidade e queria transformar minha vida.

Não aceitava a ideia de que a prosperidade era algo inatingível. Via ao meu redor crenças limitantes sendo repetidas constantemente e decidi que era hora de mudar. Iniciei uma transição de carreira, estudando sobre a mente e a prosperidade, até me tornar terapeuta.

E até hoje continuo estudando e evoluindo, sempre em busca de mais conhecimento e transformação.

É por isso que sempre insisto na importância da harmonia e da introspecção para avaliarmos se estamos contentes com a vida que vivemos ou se precisamos tomar uma nova direção para redefinir nossas vidas.

Se você está lendo este livro e buscando conhecimento sobre prosperidade, é porque deseja mudar algo em sua vida, é porque está pronto para enxergar além do que a maioria vê.

E essa foi exatamente a reviravolta que tive há mais de vinte anos, ao me dedicar a cursos, a ouvir, estudar e transformar meu interior, para que o exterior pudesse acompanhar essa mudança.

O mundo começa a se transformar de dentro para fora.

À medida que percebemos essas mudanças internas, notamos que diversos aspectos de nossa vida começam a se alterar. E é aí que entra o conceito de harmonia que mencionei antes.

Harmonia é o equilíbrio entre diferentes elementos, e ela se manifesta de maneira única na vida de cada pessoa, assim como a prosperidade.

Se você tirar um tempo para conversar com pessoas diferentes, de diferentes idades e histórias de vida, perceberá que as definições de prosperidade variam significativamente.

Isso abre espaço para novas perspectivas e aprendizados.

E, de verdade, se algum campo de sua vida não está legal agora, saiba que você está no lugar certo, com o livro certo em mãos.

Muitas informações aqui irão ajudá-lo a atravessar o rio de um lado para o outro.

A roda *da vida*

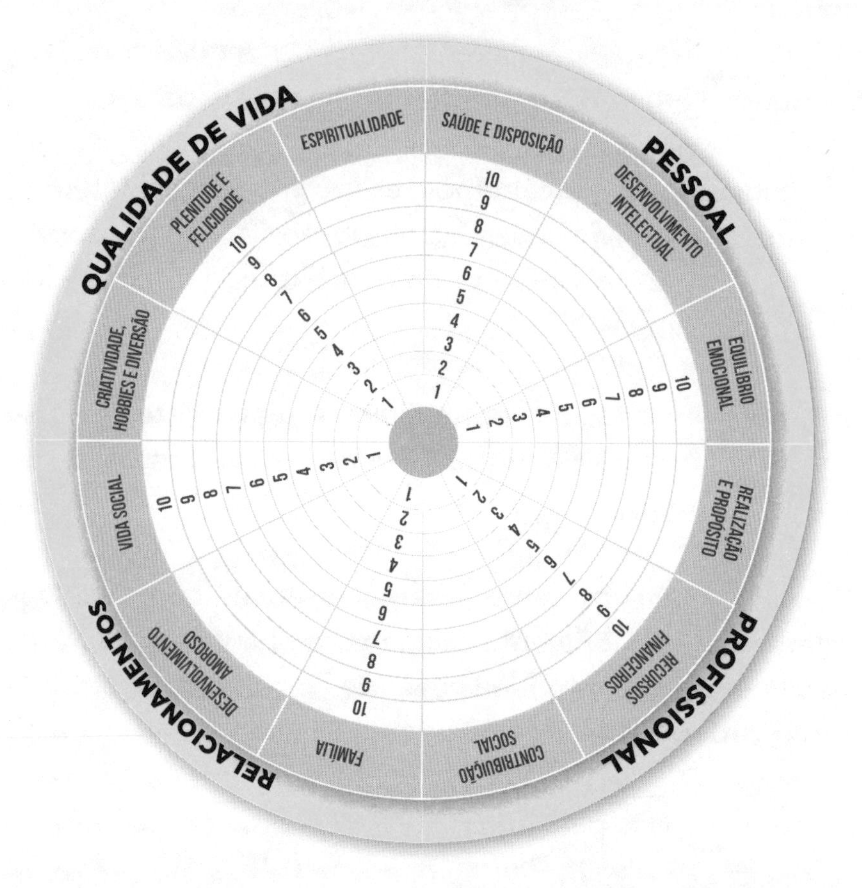

Na nossa jornada de vida, há vários campos que devemos considerar. Por isso, inseri aqui, no começo deste capítulo, algo que sempre nos ajuda a olhar e entender os campos de nossa vida.

A Roda da Vida é algo a que sempre recorro quando quero mensurar minha satisfação sobre algum campo e também olhar ao que preciso me dedicar mais para obter a harmonia que acredito ser a Prosperidade Suprema.

Vou começar falando sobre espiritualidade. Importante ressaltar que espiritualidade e religião são conceitos distintos.

Espiritualidade diz respeito ao conteúdo da "garrafa", enquanto religião seria o rótulo. Você pode seguir qualquer religião ou nenhuma, e ainda assim ter sua espiritualidade. Inclusive, aqueles que afirmam não acreditar em nada já fizeram sua escolha espiritual.

Outro campo essencial é o da saúde e disposição. Aqui, olhamos para nosso bem-estar físico, que está sempre enviando sinais. Uma dor pode ser um sinal de que algo não está bem e precisa de atenção. Ignorar esses sinais é ignorar nosso próprio corpo.

Saúde e disposição também se relacionam à nossa energia para viver a vida. Alguém pode estar livre de dores, mas sem disposição para atividades cotidianas ou para buscar seus sonhos. Enquanto discuto esses campos, convido você a refletir sobre sua própria vida.

Considere sinceramente como está sua espiritualidade e sua saúde/disposição. Lembre-se: a verdade que você conta para si mesmo é o que realmente tem o poder de transformar sua vida, muito além do que você compartilha com os outros.

O terceiro campo é o desenvolvimento intelectual, do qual você está ativamente participando hoje. Você escolheu este livro para crescer e se desenvolver.

O segredo é filtrar as informações, assim como se faz com uma peneira: você capta tudo, mas retira somente o que é bom para você, aquilo que verdadeiramente ressoa e é útil.

Muitas pessoas falam que querem mudar de vida, prosperar, melhorar a vida de suas famílias, mas, quando perguntamos sobre ações concretas tomadas para esse fim – como leitura de livros, participação em cursos ou palestras –, a resposta é frequentemente "nenhuma".

E isso se reflete diretamente nos resultados que obtemos na vida. Então, quando chegar o fim do ano e você estiver com seus familiares, perceba como será gratificante ver os frutos do seu desenvolvimento e prosperidade, em contraste com aqueles que escolheram permanecer na mesmice.

Agora, falando sobre o campo da harmonia emocional, é importante destacar que ninguém está 100% equilibrado o tempo todo. E está tudo bem!

Todos temos nossos momentos de raiva, medo, arrependimento, ansiedade, e é por isso que prefiro chamar de harmonia emocional.

Esse equilíbrio não é sobre estar sempre calmo e centrado, mas sim sobre saber lidar com as emoções quando elas surgem. Então, dê uma nota para o seu estado emocional hoje. Lembre-se, estamos avaliando o agora, não o passado ou o futuro.

Quanto ao campo de carreira e trabalho, ele é extremamente vital. Aqui se encontra o que nos faz felizes e realizados profissionalmente.

Muitas pessoas se encontram em transições de carreira ou pensando em empreender. Esse campo é crucial para a sua prosperidade, e requer coragem para tomar decisões importantes, como mudar de carreira quando necessário.

Olhe para dentro e pergunte-se: "Estou feliz com o que faço?". Dê uma nota para a sua satisfação na carreira e pense nos passos que você pode dar em direção a um futuro mais feliz e realizado. Finalmente, o campo do dinheiro.

O dinheiro é um fluxo do universo que entra em nossas vidas e é fundamental para a nossa prosperidade. Eu tenho um livro chamado "Destrave Seu Dinheiro", pela editora Citadel, com o qual você poderá ampliar seus conhecimentos sobre esse campo.

É crucial mudar a visão negativa que muitas pessoas têm do dinheiro, reconhecendo-o como um fluxo abençoado e essencial.

Quando esse campo não está indo bem, toda a roda da vida é afetada.

Dinheiro que vem do universo, seja pelo seu trabalho ou outras fontes, é essencial. E o que sai de você para o universo, sua contribuição social, é igualmente importante.

É aí que a harmonia se torna essencial, mantendo um

equilíbrio saudável em todos os campos da vida.
Por que na prosperidade existe uma linha tênue entre ser ambicioso e ser ganancioso?

A ambição é algo incrível. É ótimo ser ambicioso, e isso é completamente aceitável.

Quando você cresce, proporciona oportunidades para todos ao seu redor crescerem também.

Por outro lado, quando é ganancioso, deseja tudo apenas para si mesmo, você acumula e esconde dos outros.

A ganância impede o fluxo do dinheiro, fazendo com que ele apenas entre, sem nunca sair.

Vocês podem notar ao longo da história que os indivíduos gananciosos, aqueles que acumulam excessivamente, eventualmente enfrentam situações em que o dinheiro sai de suas mãos rapidamente, seja por meio de um filho que esbanja, de um negócio malsucedido ou de uma doença cara para tratar. Isso acontece porque precisamos estar alinhados com as energias certas, incluindo as energias de amizades e família.

Falando em amizades e família, como está essa área em sua vida? Suas amizades o elevam ou puxam para baixo? Você está cercado por pessoas que o incentivam a ser melhor, a estudar e a prosperar? E quanto à sua família, ela apoia você? Ou você está cercado por pessoas que o desmotivam?

Pense também nos seus colegas de trabalho e em outros

parentes. Que nota você daria para essa área de sua vida? Isso é crucial, e muitas vezes não paramos para avaliar nossa vida dessa forma.

E quanto ao campo dos relacionamentos?

As pessoas que estão em um relacionamento querem estar solteiras, e as que estão solteiras querem estar em um relacionamento. Para aqueles que estão casados ou em um relacionamento, de 0 a 10, qual nota você daria para o seu relacionamento?

Casais que estudam prosperidade juntos tendem a prosperar juntos. Mas se o seu parceiro ou parceira não está interessado em estudar prosperidade, não se preocupe. Você pode ser a locomotiva que puxa o relacionamento para a frente, e talvez, com o tempo, a outra pessoa também se interesse. E se isso não acontecer, também reflita sobre esse relacionamento. Lembre-se, a prosperidade suprema é a harmonia entre todos os campos de sua vida.

E quanto à vida social?

Dê uma nota para essa área da sua vida também. Lembre-se de que a vida social é sobre o que você gosta de fazer. Se você gosta de festas e eventos sociais e não está participando, talvez precise rever isso. Mas se está feliz sem uma vida social agitada, isso também está ótimo.

O importante é não se comparar com os outros e pensar que todos estão se divertindo, menos você.

Por último, vamos falar sobre hobbies e diversão. O que você faz por si mesmo? Isso é essencial para o seu bem-estar.

Mesmo que todas as outras áreas da sua vida estejam indo bem, você precisa ter um tempo para si mesmo, fazer coisas de que gosta. Pode ser algo simples, como preparar seu café da manhã, brincar com seus animais de estimação ou cuidar de suas plantas.

O importante é ter esse momento só seu.

Portanto, reflita sobre essas áreas da sua vida, dê notas para cada uma delas e pense no que você pode fazer para melhorar aquelas que não estão tão boas. Isso fará uma grande diferença na sua jornada para a prosperidade.

Então, a questão é: no ponto exato em que está em sua vida, numa escala de 1 a 10, o quão realizado e feliz você se sente?

Não importa a nota que você atribui a si mesmo hoje.

O que quero destacar é que você sairá deste livro muito melhor do que quando chegou, pois, ao avaliar os diferentes aspectos de sua vida, já começou a definir sua própria prosperidade.

Infelizmente, muitas pessoas não dedicam tempo para analisar suas vidas da maneira como estamos fazendo agora.

Atacando *um problema*

Quando a gente recebe uma benção, devemos dividir essa benção?

13 36 38

Essa mensagem é carregada de crenças, e quero contar uma história pra você que vai ajudar a refletir.

Ela escreveu o seguinte: "O meu irmão usa uma casa que eu emprestei para ele, mas ele não sai de jeito nenhum".

Essa mensagem faz a gente pensar numa série de coisas. A primeira é que somos obrigados a dividir as bençãos com as pessoas que estão ligadas a nós, como se fosse uma obrigação.

Essa crença está enraizada quase como uma coisa religiosa. Aquela coisa de dividir o pão, de fazer como Francisco de Assis, de dar a roupa do corpo para todo mundo.

Essas histórias nos ensinam a nos manter em harmonia e equilíbrio, mas não significa que você tem que abandonar todas essas coisas para que possa ser humilde e aí sim trazer prosperidade para si.

Preste atenção numa coisa importante: quando uma benção vem para você, ela é para você.

Você decide se deve compartilhar ou não.

A primeira coisa que essa mulher deveria fazer seria conversar com o irmão e esclarecer as situações. Uma delas seria o fato de ele morar naquela casa sem pagar nada, e sair da casa. Por quê? Se a casa é sua, o mínimo que ele precisa fazer é pagar um aluguel para você. Senão, ele tem que ir para outro lugar. Para o irmão, talvez ele esteja pensando "minha irmã tem duas, três casas, não preciso pagar o aluguel".

Só que assim: cada um está no seu tempo.

E quantas pessoas prosperam, e outras da família, não? A visão de prosperidade dele está corrompida, como as pessoas que dizem "ele ganha bem, precisa me ajudar!" ou "não preciso dar nada pra ele de presente, já tem tudo".

Pessoas assim não entenderam nada de prosperidade suprema.

Você não tem que sofrer
PORQUE ALGUÉM DA SUA FAMÍLIA
NÃO PROSPEROU

Você está se desenvolvendo. E talvez seu irmão nunca tenha parado para ler algo do tipo, fazer um curso, procurar despertar seus talentos e dons.

Por isso, não significa que você tem que abrir mão das suas coisas para então ficar com o outro e deixar você sem ou se sentindo mal a respeito. Também não deve fingir que nada está acontecendo.

É preciso atacar o problema e resolvê-lo.

Fingir que ele não existe não faz você ir para a frente. Isso amarra você do lado escasso da ponte e não o deixa atravessar o rio.

E tenho uma história que gostaria de dividir com você.

A mensagem se chama "Atacando o problema".

O grande mestre e o guardião dividiram a administração do mosteiro. Certo dia o guardião morreu, e foi preciso substituí-lo. O grande mestre reuniu todos os discípulos para escolher quem teria a honra de trabalhar ao lado dele. "Vou apresentar um problema", disse o mestre para as pessoas ali.

"Aquele que resolver este problema será o novo guardião do templo."

Terminado seu curtíssimo discurso, ele colocou um banquinho no centro da sala e, em cima desse banquinho, colocou um vaso de porcelana caríssimo, com uma rosa vermelha que o enfeitava.

Os discípulos começaram a contemplar o vaso e viram os

desenhos sofisticados da porcelana e o cheiro da flor tão bela.

Todos começaram a pensar: “Qual seria o enigma deste mestre?”.

Depois de alguns minutos, um dos discípulos se levantou, olhou o mestre e os alunos à sua volta e caminhou decidido até o vaso. Pegou o vaso nas mãos e o atirou no chão.

O vaso se estilhaçou.

“Você é o grande guardião”, explicou o mestre para ele e para os alunos que estavam ali.

Assim que ele voltou para seu lugar, o mestre então explicou: eu fui bem claro. Disse que estavam diante de um problema.

Não importa quão belo e fascinante seja o problema. Ele tem que ser resolvido. Um problema precisa ser eliminado, mesmo que seja um vaso de porcelana raro.

Só existe uma maneira de lidar com o problema, atacando-o de frente. Nessa hora não podemos ter piedade nem sermos tentados pelo lado fascinante que qualquer conflito carrega consigo mesmo.

Pode ser um amor que não faz mais sentido, pode ser um caminho que o leva aos mesmos lugares e precisa ser abandonado, por mais que insistamos em percorrê-lo, porque não traz mais conforto para nossa vida.

Às vezes temos problemas que são disfarçados de bençãos, são disfarçados de parentes que dizem que torcem por você, mas chega determinado momento em que precisamos eliminar esse problema, enfrentando nossos desafios.

Senão eles insistem e não nos trazem felicidade.

E se tem um favor que você pode fazer para Deus é ser feliz. É estar bem consigo mesmo e com sua consciência.

A gente precisa refletir com as lições da vida.

Olhar à nossa volta e ver os problemas que temos que resolver e o que podemos fazer para sair daquela situação.

No espaço que reservei para você, escreva o que mais fez sentido nesse momento.

Imagine que daqui a um tempo, em sua próxima leitura, estará aqui registrado seu aprendizado.

Essa etapa também é importante, porque o ajuda a visualizar o aprendizado.

ANOTAÇÕES

Quais downloads você fez a partir deste capítulo?

Quais decisões você toma a partir de agora?

2º Passo

Quem pede NÃO tem

Gratidão é a sintonia da benção.

Este capítulo pode parecer estranho, mas ele é para se pensar muito.

Quem pede não tem. Soa estranho diante de tudo o que aprendemos. Até a expressão popular no Brasil "Quem não chora não mama" perde o sentido agora!

Ao avaliarmos nossa vida, temos a tendência de pedir coisas que nos faltam, e aí mora um dos grandes erros relacionados à prosperidade.

A frase "Quem pede não tem" reflete uma mentalidade de escassez.

Tem um provérbio chinês que diz assim: "Não basta dirigir-se ao rio com a intenção de pescar peixes; é preciso levar também a rede".

Quando olhamos para nossa situação financeira, por exemplo, e percebemos que falta dinheiro, podemos cair no erro de ficar pedindo incessantemente mais dinheiro, oportunidades e negócios lucrativos. Mas ao fazermos isso, estamos, na verdade, nos colocando num estado de escassez e falta.

@WILLIAMSANCHESOFICIAL

Fomos educados, independentemente da religião, a esperar por um salvador, alguém que virá nos resgatar.

Mas Deus não age por nós; Ele age por meio de nós.

Somos joias raras aos olhos de Deus, e Ele se manifesta por meio dos nossos talentos, da nossa criatividade, da nossa alegria e das ações que realizamos para ajudar os outros e a nós mesmos.

Ao fazermos isso, nos tornamos pessoas melhores.

Então, comece a se perguntar: o que eu posso fazer por mim mesmo?

Como posso ser o meu próprio salvador?

Ao adotar essa mentalidade, você se coloca em um caminho de empoderamento e prosperidade, abandonando a mentalidade de escassez.

Você entra e se mantém na sintonia de prosperidade. Porque você para de olhar para a falta e olha para as bençãos.

Portanto, é crucial entender que ninguém mais pode realizar isso por mim.

Se eu permanecesse na sala dos professores, lamentando meu salário e reclamando de colegas, estaria batendo o mesmo ponto por 22 anos, no mínimo.

Pior, olhando para mim mesmo com pena da falta de

oportunidades e achando que Deus não me ajuda. Essa postura se alinha com o vitimismo e a escassez.

Perceba que esse comportamento é um reflexo da mentalidade de escassez, e quem adota essa postura tende a atrair mais carência para sua vida. Você mesmo conhece dezenas de pessoas assim.

O universo se comunica conosco dessa forma, uma interação sustentada pela Lei da Atração, que nos ensina que nossos pensamentos geram sentimentos, e esses sentimentos atraem experiências similares.

Tudo na vida são hábitos.

Na vida, temos hábitos para tudo. Segundo a neurociência, um hábito é um comportamento ou ação que se tornou automaticamente repetitivo devido a mudanças na estrutura e na função do cérebro.

Os hábitos são formados a partir da repetição consistente de um comportamento em resposta a um estímulo específico.

Em outras palavras, hábito é aquilo que a gente faz sem perceber. Por exemplo, escovar os dentes, tomar café, fazer o mesmo trajeto para o trabalho. Mas tem alguns hábitos que fazem com que nossos sonhos, desejos e prosperidade fiquem longe da gente, e nem nos damos conta de que esses hábitos nos atrapalham.

Tem pessoas que dizem "acho que estou com um encosto", "acho que estou com uma energia negativa", "acho que estou com inveja".

Muitos acreditam que vieram a esta vida para sofrer. Esses pensamentos são pensamentos negativos, produzem um hábito negativo, e sua vida vai ficando negativa.

E existem hábitos muito perigosos. A ingratidão é um hábito que vibra na frequência do desprezo. Ou seja: quando desprezamos aquilo que já temos. Por isso, quem pede já não tem!

Lembre-se: pensamento gera sentimento e produz uma vibração.

Quando você pensa e sente, você vibra e produz uma frequência vibracional que são ondas eletromagnéticas que o conectam com o Universo. E se conectam com o Universo, você é tudo aquilo que você deseja.

E aí esse hábito, que é a ingratidão, produz uma vibração que eu chamo de frequência do desprezo.

A frequência do desprezo é assim: eu tenho um jogo de xícaras muito bonito, mas quando o coloco na mesa, falo assim: "Mas eu queria tanto o jogo de porcelana da loja tal", e isso enquanto coloca as xícaras.

E você não se dá conta de que está desprezando o que já tem. Entende o que é um hábito do desprezo? Esse hábito é terrível.

Já parou pra pensar que muitas vezes você pede, pede, pede e nunca agradece? Você faz pedidos para Deus, para o Universo, e somente pede, e quando realiza ou se realiza, nem agradece...

Quando alguns dos seus pedidos não se realizam, você automaticamente se pune, dizendo que nada pra você dá certo, que suas orações não funcionam e nada dá certo pra você, e você nem se deu conta de que só pediu, mas, quando realizou qualquer coisa, não agradeceu e não reconheceu.

Se ingratidão é a frequência do desprezo, a gratidão é o reconhecimento daquilo que eu tenho.

O que é o contrário da gratidão?

O contrário da gratidão? Por mais que parece ser a ingratidão, não é. Veja, a ingratidão é não ser grato. O contrário da gratidão é trabalhar a preocupação.

É a cabeça na falta, no vazio, no que ainda não aconteceu, na escassez.

Reciprocidade

Existe uma lei universal muito interessante chamada Lei da Reciprocidade. Reciprocidade é quando a gente recebe alguma coisa e também dá alguma coisa. A reciprocidade é um princípio ou conceito que se refere à troca mútua de benefícios, favores, atos ou sentimentos entre duas ou mais pessoas.

É a ideia de que, quando alguém faz algo positivo por outra pessoa, a outra pessoa "deve" responder de forma similar ou equivalente, criando assim um equilíbrio nas relações interpessoais. Já tinha pensado nisso?

Ninguém vai jantar na casa de alguém de mãos abanando. Eu, particularmente, acho chato. Ou leva um vinho, ou um espumante, ou uma sobremesa, uma flor, qualquer coisa, nem que seja uma rosa.

Vamos sempre levar alguma coisa para aquela pessoa que está nos oferecendo alguma coisa.

Se você vai num churrasco, não vai deixar de levar algo. Isso é reciprocidade. Alguém me convidou para alguma coisa e eu estou devolvendo por meio da reciprocidade.

Quando chegamos de mãos abanando, estamos dizendo “venha a nós o vosso Reino e não vou dar nada”. Nem que seja um sabonete, você precisa dar de presente algo verdadeiramente, com sentimento positivo para isso. Isso é reciprocidade.

Assim sendo, se você se pergunta "O que eu posso fazer?", e a resposta é começar a agradecer. Mas esse agradecimento não deve ser superficial. Se você está enfrentando dificuldades, como um carro quebrado ou uma casa necessitando reparos, pode se perguntar "O que eu tenho para agradecer?". É essencial enxergar as bênçãos em sua vida, as coisas boas que chegam até você.

Se você não consegue reconhecer as bênçãos presentes, como poderá notar as futuras?

Agradecer, mesmo quando parece que não temos nada, cria uma conexão positiva em nossa mente. Se vivemos lamentando a falta de algo, pedindo incessantemente ao Universo, seja Deus ou qualquer outra entidade em que se acredite, permanecemos na carência e, assim, atraímos mais falta.

Se você tem um celular, agradeça pelo seu celular.

Trabalhe o exercício da gratidão. E reconheça coisas simples.

E logo em seguida, reconheça coisas que não tem.

Vamos supor que você tem um Uno velho que fica falhando, e quer um carro zero.

Em primeiro lugar, abençoe aquilo que você tem, e depois agradeça o que não tem.

Quando a gente agradece, se empodera de uma energia de prosperidade, abundância e reconhecimento.

A pergunta que eu lhe faço é: por que o Universo vai lhe dar coisas novas se aquilo que você tem, você não consegue agradecer?

É importante reconhecer que temos o poder de mudar nosso foco.

A negatividade pode ser persistente e insistir em permanecer em nossas vidas, mas nada de ruim acontece a menos que estejamos sintonizados com essa frequência.

Nem inveja, nem "olho gordo", nem qualquer outra energia negativa pode nos afetar se não estivermos em sintonia com ela.

Sair do círculo de negatividade é vital para que você prospere.
Aliás, você sabe fazer orações?

Jesus dizia “orai e vigiai”. Mas aqui não quero trazer um aspecto religioso. Quero que você se religue a algo. E não importa qual a sua religião nem se frequenta algum lugar.

Qual a sua maneira de se comunicar com Deus, com o Universo, com o Astral?

Sempre vi muitas pessoas pedindo coisas por meio da oração. Pedindo proteção, pedindo saúde, pedindo emprego, a lista é gigante.

Sempre pedidos. E olha só que download interessante: quando pedimos, por exemplo, "protege a minha casa dos assaltos", estou dizendo que é possível a minha casa ser assaltada. Porque estou na escassez de segurança. Estou vibrando no medo.

É exatamente o contrário que devemos fazer: devemos agradecer por toda proteção que tem em nossa casa. Agradecer pela casa.

Não vamos orar pedindo: "Deus, tira essa doença de mim". Você vai agradecer por todos os órgãos que estão funcionando, que se recuperam, então a sua oração deve ser no sentido de agradecer aquilo que você já tem.

É um exercício diferente de tudo o que aprendemos ao longo da vida. Perceba que não adianta a gente ficar se lamentando com a falta, porque mais falta vem para nós.

Inclusive, se você tem uma dor, deve até mesmo dizer "o que posso aprender?". Que lição esse desafio me traz, porque ela pode ter lhe trazido um aprendizado. Mas, a partir de agora, você não precisa mais ficar com ela.

Então, a oração não tem o sentido de pedir apenas. Porque toda hora que você pede, você está vibrando que está na escassez e na falta. E milhares de pessoas todos os dias oram e permanecem na escassez. Porque a mente delas está na falta.

Sabe aquelas pessoas que dizem “Se Deus quiser”?

Elas colocam tudo nas mãos de Deus. E Deus faz por meio de nós, e não por nós.

Deus já nos deu todos os recursos necessários, tudo de que a gente precisa, toda a inteligência humana, tudo de bom que já temos.

Outro dia vi uma loja num aplicativo de comida que vendia frutas descascadas, cortadas num saquinho bonitinho a vácuo com uma porção de 200 g, para fazer um copo de suco. Eu comprei. Vinha maracujá, hortelã, linhaça...

Isso aconteceu porque alguém teve uma ideia de comprar frutas, descascar, picar, embalar a vácuo e oferecer para quem quer comprar. Para quem tem pouco tempo, mas quer se alimentar melhor.

Enquanto tiver uma pessoa picando frutas e colocando no saquinho e vendendo para quem quer comprar frutas picadinhas, eu não admito uma pessoa dizendo “Deus não me ajuda com nada”. Entende o que quero dizer?

Enquanto tiver alguém com uma bicicleta alugada fazendo entregas para um aplicativo de comida, não podemos

admitir a frase "se Deus me ajudar eu faço algo".
Mas tem pessoas que só querem um "Pix".

E o que elas vão fazer com um Pix? Elas vão investir em algo? Elas vão começar algo?

Enquanto você ficar orando para Deus pedindo por um milagre, você se esquece de que você é um milagre.

Eu acredito em Deus, sou um cara espiritualizado.

Deus está em mim.

E por Ele estar em mim, eu tenho talentos, dons, facilidade para alguma coisa. E todo mundo tem talentos e dons.

Não adianta ficar pedindo ajuda e não se esforçar.

Você faz um pão maravilhoso, por que não fazer pães caseiros? Faz um pão bonito, entrega, encanta seu cliente e na semana seguinte manda um pano de prato junto. Anuncia a sua fornada e na semana seguinte aquela pessoa vai indicar você para dezenas de familiares.

Então, muitas vezes a gente ora da forma errada, porque coloca toda a nossa vida nas mãos de Deus. Mas Deus já nos deu condições, já deu nossa maneira de evoluir.

Eu sempre me virei na vida.

Trabalhei com meu pai na feira, vendia peixe na feira, e no final da tarde eu vendia peixe na estação de trem com minha família.

Hoje eu vendo meus cursos, minhas palestras, meus livros. Meu dom é escrever, eu falo superbem, desde criança falo bem. E se fosse ouvir as pessoas que mandavam que eu me calasse quando eu falava demais, não teria chegado a lugar algum.

E ganho a vida falando. São palestras, aulas, cursos, livros, podcasts.

Se saí da escassez e descobri algo, posso ajudar outras pessoas a conquistarem o mesmo. Mas você só olha para o lado da escassez na sua vida. Você aponta os dedos para todos os que acha que o estão prejudicando.

Você se tornou uma pessoa chata, negativa, pesada.

E depois vai orar pra Deus, ainda gemendo e pedindo.

Ele olha para você e diz "já te dei tudo".

Jesus já dizia "Levanta e anda".

Movimente-se. Faça algo. Quantas coisas já não começou neste ano e não terminou?

Você dá uma desculpa para aliviar sua mente naquele momento. Mas sua vida continua igual a como sempre foi, porque você não mudou sua vibração, sua energia. E ainda repete "nada pra mim funciona", "minha família não me apoiou", "eu nasci para ser pobre", "ah, porque meu parente ficou rico e não fala mais comigo".

Aliás, por que ele falaria com você? Você só reclama, só fala de doença, só fala de exame que fez, remédio que está tomando.

E quando acaba a ala de remédios que está tomando, começa a falar mal dos outros. Tem prazer de falar da vida dos outros. E quando você olha para a sua vida, ela é reflexo de tudo que você tem aí dentro.

Aí, no final do dia, você vai orar: "Deus, me dá tal coisa?".

As pessoas que perturbam Deus não percebem que existe uma lei que se chama Ação e Reação.

Isso é física, não é religião.

Você joga uma bolinha na parede, ela volta na mesma direção e na mesma velocidade.

Imagine quando você faz isso com a sua energia e com as suas atitudes. Com as palavras que você diz. Tudo isso volta para você.

E nem sempre nos damos conta dos nossos hábitos. A boa notícia é que o cérebro é altamente adaptável e pode mudar sua estrutura e função em resposta à aprendizagem e à experiência.

Prosperidade suprema *em perigo*

Existem hábitos que destroem você pouco a pouco – dia a dia – e você nem percebe.

Não faz mais sentido, nesta etapa em que você está de estudos, permanecer na prisão desses cinco hábitos autodestrutivos.

Como terapeuta, percebo muito isso na vida das pessoas, que vão minando as forças, drenando a vontade de realizar e prosperar.

1º HÁBITO AUTODESTRUTIVO

É quando você se olha no espelho logo pela manhã e se autocritica. A sua primeira referência sobre si mesmo é negativa.

Sabe quando você olha e fala assim "puxa, estou ficando velho, estou cheio de rugas, estou com o cabelo branco, estou com papada", e começa a se criticar? São coisas que você olha no espelho e começa a se criticar.

Imagina, ao longo dos anos, como é maltratar a sua alma. Você agora despertou. Isso mudou.

Porque, se você faz isso todos os dias, maltrata a sua alma e a deixa entristecida. E imagine seu corpo, como ele se sente quando é criticado. Esse é um hábito autodestrutivo.

O espelho é feito para me amar.

Por isso quero deixar três regrinhas básicas:

01

Pratique a autocompaixão: trate a si mesmo com gentileza e compaixão, assim como trataria um amigo.

02

Desafie pensamentos negativos: questione pensamentos críticos e negativos sobre si mesmo, avaliando sua validade.

03

Aceite a imperfeição: reconheça que todos cometem erros e que a perfeição não é alcançável. Busque o progresso, não a perfeição.

2º HÁBITO AUTODESTRUTIVO

Ser muito apegado ao seu passado.

Se você for muito apegado ao seu passado, se toda hora conta só de tragédia, se está sempre vivenciando coisas que já passaram, isso o impede de criar uma realidade nova.

Sabe as pessoas que só falam de "quando trabalhavam em determinada empresa, que era melhor"? Ou quando um pai diz ao filho "na minha época era muito melhor do que hoje"? Essa afirmação cancela o hábito do seu filho.

Comece a trabalhar dentro de você isto: Aceite o passado! Reconheça que o passado não pode ser mudado.

Aceitar que o que aconteceu já aconteceu é o primeiro passo para superar o apego ao passado.

Aceitar não significa necessariamente concordar com tudo o que aconteceu, mas sim deixar de brigar internamente com a realidade do passado.

Por isso, você deve dizer a si mesmo "não me procure no meu passado, porque eu não estou mais lá".

Respire fundo agora e pratique o perdão: se você está apegado a eventos ou pessoas do passado devido a ressentimento, raiva ou mágoa, considere a possibilidade de praticar o perdão.

O perdão não significa necessariamente esquecer, mas sim liberar o poder que o passado tem sobre você, permitindo que você siga em frente com mais leveza e paz. É isso que torna nossa vida Suprema.

3º HÁBITO AUTODESTRUTIVO

O terceiro hábito é pensar demais e não agir nunca.

Este terceiro hábito vai minando a nossa energia.

Pessoas que pensam muito e têm dificuldade de agir podem estar enfrentando o que é comumente chamado de "paralisia da análise" ou "análise excessiva". Quem você conhece que é assim?

Isso pode ocorrer por várias razões, como medo do fracasso, perfeccionismo, cobrança interna, falta de confiança em si mesmo ou simplesmente por se estar sobrecarregado por muitas opções e informações.

Se me permite, quero lhe dar algumas dicas bem ricas:

– **Defina metas claras:** comece definindo metas e objetivos específicos. Ter um objetivo claro pode ajudar a direcionar seus pensamentos e ações na direção certa.

– **Divida em etapas menores:** às vezes, grandes tarefas podem parecer esmagadoras, o que pode levar à inação. Divida as metas em tarefas menores e mais gerenciáveis, de modo que pareçam menos assustadoras.

– **Aceite que está tudo bem se não der certo:** não tenha medo de cometer erros ou de que as coisas não saiam perfeitamente. O fracasso é uma oportunidade de aprendizado e crescimento.

– **Pratique a tomada de decisões:** às vezes, o excesso de pensamento ocorre porque as pessoas têm dificuldade de tomar decisões. Pratique a tomada de decisões, mesmo em coisas pequenas, para ganhar confiança em suas habilidades de escolha.

– **Busque apoio positivo:** conversar com amigos positivos, familiares positivos, um mentor, ou até mesmo um profissional de saúde mental, pode ser útil. Eles podem fornecer perspectivas externas e apoio emocional de que você precisa nesse momento. Se sentir que é a hora, faça!

– **Lembre-se da harmonia:** estudamos isso no primeiro passo. Encontrar a harmonia saudável para você entre pensar e agir é importante. Sem cobranças. Não é necessário agir impulsivamente, mas também não deixe que o excesso de pensamento o impeça de tomar medidas.

– **Pratique a autocompaixão:** seja gentil consigo mesmo e não seja muito crítico. Lembre-se de que todos cometem erros e enfrentam desafios na vida.

– **Comece com passos pequenos:** às vezes, dar o primeiro passo, mesmo que seja pequeno, pode quebrar a inércia e criar um impulso para a ação.

4º HÁBITO AUTODESTRUTIVO

Atingir o sucesso do dia para a noite, principalmente para mostrar para os outros que a gente deu certo. Quando estamos construindo algo do dia para a noite, não estamos construindo um alicerce legal.

Toda construção precisa de um bom alicerce.

E quando a pessoa quer o sucesso do dia para a noite, ela se desespera, acaba fazendo coisas que não são legais, e não cria um alicerce. Eu, por exemplo, estou há mais de vinte anos fazendo o que faço, procurando todos os anos ser melhor. Me atualizando e buscando informações novas para mim e para as pessoas que me acompanham e gostam do meu conteúdo.

Eu só tenho credibilidade porque não cresci do dia para a noite.

Anos fizeram com que eu solidificasse meu trabalho com um trabalho eficaz e uma equipe preparada.

Portanto, vá fazendo o caminho com calma.

O caminho não existe e o caminhante não existe. Os dois só existem juntos quando se faz o caminho, e é caminhando que se faz o caminho.

Em alguns momentos, você vai desanimar e querer desistir. Mas aí você diz assim: "Só por hoje". E quando vê, está aí fazendo seus movimentos por vinte anos.

5º HÁBITO AUTODESTRUTIVO

É um dos mais destrutivos que eu, como terapeuta, conheço: a arte de se comparar com as outras pessoas.

Você olha para a vida das pessoas e acha que elas deram certo e a sua vida está terrível.

Hoje você vê o meu apartamento maravilhoso, um por andar, de frente para um parque, mas o primeiro apartamento em que vim morar em São Paulo, há 23 anos, era alugado, na Brasilândia, e eu não tinha móveis.

Eu falava e até fazia eco.

Mas não tinha absolutamente nada. E se me comparasse com a realidade dos outros, seria terrível.

Se eu olhasse para meu bolso na época, minha mente logo iria me dizer: "Você não pode!".

Mas olhei para o outro lado da ponte.

Decidi atravessar o rio. Fiz a caminhada.

Busquei minha Prosperidade Suprema.

Sempre quando fala sobre esse assunto me lembro de diversas mulheres, que atendi em meu consultório, que estavam em certa idade e não eram mães, mas às vezes a outra irmã já era mãe.

Como elas sofriam com a comparação, o julgamento interno.

Em vez de se comparar com os outros, defina metas que sejam significativas para você e alinhadas com seus valores e sonhos pessoais.

Concentre-se no seu próprio crescimento e desenvolvimento, em vez de medir seu sucesso com base no dos outros.

Cada pessoa está no seu tempo.

Eu me amo e está tudo bem!

Eu me amo, me dou o melhor!

ANOTAÇÕES

Quais downloads você fez a partir deste capítulo?

Quais decisões você toma a partir de agora?

3º Passo

Descobrindo o TESOURO escondido em você

Recentemente estive em Nova York pela terceira vez.

Quando viajo, gosto sempre de reservar um ou dois dias para explorar o local com um guia, para poder aprender sobre a sua história. Já tínhamos um roteiro pré-definido com um guia, e havia ainda outra opção de passeio com um guia diferente, que era um tour de bicicleta pelo Central Park.

Eu estava ansioso para fazer esse passeio e conhecer toda a história do Central Park. O guia que nos conduziu compartilhou conosco muitas histórias sobre o parque, sobre os milionários que moravam ao seu redor, mostrando-nos qual mansão pertencia a cada um deles. Quando chegamos a uma mansão específica, ele nos disse que aquela era a mansão de Andrew Carnegie.

Exclamei: “Nossa, que incrível! Esse Andrew Carnegie foi o homem que desafiou Napoleon Hill a estudar as mentes das pessoas prósperas”.

Vale lembrar que Napoleon Hill tinha apenas 19 anos na época, era jornalista, e o jornal para o qual trabalhava propôs que ele entrevistasse Carnegie, que era o homem mais rico dos Estados Unidos e trabalhava com a indústria do aço. O guia parou as bicicletas e nos mostrou a mansão onde Carnegie morava naquela época, em 1908, quando aconteceu a entrevista.

Você conhece a história de Napoleon Hill? Ele é o autor do livro *Quem pensa enriquece*, da Editora Citadel, um dos livros mais vendidos em todo o mundo.

Ele entrevistou Carnegie nessa mansão, e eu, muito

entusiasmado, compartilhei essa história com o guia.

Para minha surpresa, ele disse que não conhecia Napoleon Hill. Então, ele me perguntou o que eu fazia, e expliquei.

Ele, brincando, disse: "Então eu preciso assistir às suas palestras, para ver se me livro da pobreza".

Respondi, como costumo fazer: "Não é a pobreza que tem de sair de você; você é que tem de sair da pobreza".

Ele ficou curioso e pediu que eu explicasse melhor.

Então, compartilhei a história de como Napoleon Hill, aos 19 anos, aceitou o desafio de Carnegie para entrevistar as mentes mais brilhantes e prósperas dos Estados Unidos ao longo de vinte anos. Ele entrevistou mais de 16 mil pessoas, incluindo as 500 pessoas mais ricas do país. Durante todo esse tempo, coletou informações que, mais tarde, serviram de base para o seu livro Pense e Enriqueça.

Continuamos o passeio de bicicleta, e o guia começou a nos contar sua própria história. Ele trabalhava no parque desde 1980. Inicialmente, era carroceiro, mas um dia o seu patrão vendeu a carroça e comprou quinze bicicletas. Assim, começou a treinar as pessoas a andar de bicicleta, pois conhecia bem o parque. Ele treinou os outros catorze guias. Isso foi em 1980, ou seja, há 43 anos ele faz o mesmo trabalho. Ele mencionou que se desligou dessa empresa, pois na época eram apenas quinze guias, e agora são mais de trezentos.

Foi nesse momento que fiz a pergunta: "Por que algumas

pessoas veem oportunidades onde outras não veem?".

Esse homem, em 1980, era um simples carroceiro. O patrão dele trocou a carroça por quinze bicicletas, e ele se tornou um dos guias. Se naquela época ele tivesse pensado, por exemplo, "Espera aí, eu conheço tão bem esse parque. Se eu comprar uma bicicleta para mim, treinar alguém e essa pessoa começar a trabalhar comigo, depois treinar outra pessoa, e assim por diante", imagine só onde ele poderia estar hoje, 43 anos depois... É só uma ideia diferente daquela que ele teve.

Para você perceber que há infinitos futuros disponíveis para você, com base nas suas escolhas.

Mas tudo começa a mudar quando mudamos por dentro. Se não mudarmos nosso interior, nossa vida continua a mesma por fora.

Isso me faz lembrar uma história sobre um menino que estava fazendo uma trilha em uma montanha com seu pai. O menino tropeçou, caiu e gritou "Ai!", e ouviu-se um eco pela montanha: "Ai!". Curioso, o menino gritou: "Quem está aí?". E o eco respondeu: "Quem está aí?". Irritado, o menino gritou: "Você é um idiota!". E o eco respondeu: "Você é um idiota!".

O menino, confuso, perguntou ao pai o que estava acontecendo. O pai explicou que aquilo era um eco, mas era também uma lição de vida: "A vida te devolve o que você dá a ela. Se você grita que a vida é difícil, ela será difícil. Se você diz que tudo é uma oportunidade, assim será. Tudo depende do que você envia ao Universo".

E aí eu lhe pergunto: como você se porta quando vai assinar aquele contrato de trabalho que estava esperando há um tempão? Como vai no dia em que vai pegar a chave do apartamento pela primeira vez? Como vai para esses lugares?

É uma energia de felicidade, de alegria? De realização? De gratidão? Que energia vai com você? Qual a sua roupa energética da vitória? O que você sente ao realizar o seu sonho?

Quando falo de roupa energética, é porque todos temos uma roupa energética.

Se a gente pensa, sente e vibra, essa vibração que está em torno de mim é como se fosse uma roupa, mas uma roupa energética.

Como você está se comportando na vida com essa roupa energética?

Alguma vez já ouviu falar de pessoas que perderam tudo na vida? Já se perguntou por que isso ocorre?

Dentro da nossa mente, no momento em que estão ricas e bem-sucedidas, entra uma coisa pesada na mente delas, chamada medo.

E junto com ele, vêm os pensamentos de falta, de escassez, e aí entra a frequência do desprezo, que é o contrário da gratidão. E se depois de ter tantas coisas, não olhar para elas, você olha tantas vezes para o que não tem, ao invés de olhar para o que tinha.

Nosso pensamento, nossa vibração, a maneira como vamos para a vida são determinantes.

É a nossa capacidade de pensar sobre o nosso pensamento que vai nos permitir corrigir a rota. Reorganizar o pensamento e o sentimento, até a assinatura energética.

As informações que recebemos ao longo da nossa vida são armazenadas no nosso subconsciente, e possivelmente tudo que você ouviu está lá.

Então, nosso trabalho diário é trabalhar nossa mente consciente. Se você ouve alguém dizendo "eu detesto rico, esses riquinhos de merda" e ouve e reafirma aquilo para si, seu subconsciente armazena aquilo como uma verdade. Logo, o subconsciente está sempre reproduzindo os padrões mentais habituais. Como falamos no capítulo anterior.

Se você tem um hábito, esse é o seu padrão mental habitual. E se no seu padrão mental habitual está dizendo que o dinheiro não é suficiente, você está criando um padrão de pensamento. E o que você crê, você vê, e o que vê, acredita, e o que acredita, replica.

Por isso, quando você está sem dinheiro, mais sem dinheiro você fica.

Mas dinheiro atrai dinheiro, e ao seu alcance você tem riquezas infinitas. Tudo que você quer já existe no Universo.

E você é o responsável pela sua vida. Se sua vida está ruim hoje, você criou essa realidade.

Quando temos uma tendência muito grande de replicar tendências negativas dos outros, não estamos nos dando conta de que a nossa vida está andando pra trás.

Você pode reproduzir afirmações positivas diariamente porque elas entram na sua mente como uma semente e precisam reconhecer que ali é um solo fértil. Aí elas começam a germinar e ter vida dentro de você. E passam a se tornar uma verdade.

Se você fica o tempo todo dizendo que dinheiro não é suficiente, que não tem dinheiro suficiente no mundo, são essas sementes que você está lançando, e quando diz "o dinheiro vem pra mim com facilidade e glória", você está lançando uma semente positiva.

Afirmações mágicas de poder são sementes de abundância e prosperidade que estão vindo na sua vida.

E não adianta falar num dia só. Tem que falar todos os dias até se tornar uma verdade absoluta.

O nosso cérebro é como se fosse um porteiro, e ele decide quem vai entrar. Ele tem um sistema ativador reticular e, portanto, escolhe a informação que quer focar.

Com esse conhecimento, como posso fazer para usar isso ao meu favor?

A melhor forma de usá-lo é dizer a ele exatamente o que você quer. Por isso é necessário entender que você precisa enviar a ele uma ordem, dizendo exatamente o que quer. E você já fez isso na vida. Se quer um carro branco, você o vê no trânsito, na revista, no comercial, pesquisa sobre ele. Você vai dando informações o tempo todo para o cérebro – e esse sistema passa a filtrar as informações e lhe dar as informações exatamente daquilo que você quer.

Imagine uma pessoa que passa a vida toda dizendo que dinheiro é só para quem nasceu em família rica. O sistema ativador reticular dessa pessoa busca o tempo todo informações que garantam para ele que aquilo que ele está falando é verdade.
Se eu acho que a vida do pobre é difícil e fico o tempo todo repetindo essas informações, estou determinando o que mais o meu sistema quer ver.

Eu vejo, aplico aquilo que vi e acreditei e a resposta daquilo acontece, e eu replico na minha vida.

Então entro num círculo de negatividade. Porque o sistema que tenho de prestar atenção é um sistema ativador. E ele replica aquilo que vemos mais. Se digo que nada pra mim dá certo, aquilo acontece o tempo todo.

Quando eu atendia em consultório, uma senhora dizia para mim: "Nada na minha vida dá certo. Eu tenho 70 anos, minha vida não deu certo, minha casa, meu emprego. Eu tô cansada". Fomos trabalhando, e um dia ela chegou na consulta e ficou brava porque perguntei "O que de bom te aconteceu hoje?". E ela respondeu: "Nada".

O ódio tomava conta daquela mulher. Era difícil trabalhar com ela. Era pesada e carregava uma caçamba de negatividade nas costas. Conversei com ela, e ela só trazia as coisas com muita tragédia.

Se você é reclamão, a vida é pra você.

Se você é grato e positivo, a vida é pra você.

Mas o seu sistema ativador reticular vai lhe mandar mais do mesmo, porque é o que ele vê.

Então, como ela vê que nada dá certo, que nada funciona, isso faz com que a resposta da vida traga a mesma coisa.

Do mesmo jeito que vê o carro branco porque pesquisou e disse que o queria, você vê mais dele, sai na rua e vê aquele carro. Do mesmo jeito que vê que "ninguém quer relacionamento sério", quando acredita nisso e não encontra ninguém, você pode mudar a sua realidade afirmando que existem pessoas que querem relacionamento sério. E são essas pessoas que você quer próximas a você.

Isso muda tudo.

O tesouro está dentro de você. É você quem pode reprogramar a sua mente.

Já pensou como seria sua vida se você removesse o "e se?" do pensamento?

Se você removesse o "e se?" do pensamento, usaria a Lei da Atração de forma acelerada na sua vida. E por isso precisa tirar o "e se?" do seu vocabulário, das ideias, das emoções, para acionar a Lei da Atração acelerada.

O famoso "e se?" chama a dúvida pra perto e manda a prosperidade longe pra você.

Quando a gente duvida de algo ou não tem certeza, nada acontece e tudo fica muito solto no ar. Tudo vira poeira cósmica, não toma aderência nem vira matéria real no mundo. Tudo porque o Universo sempre vai dizer "sim" para tudo que você deseja, mesmo se for uma dúvida ou uma objeção interna.

É preciso então remover o "e se eu não conseguir pagar essas contas?", "e se eu ficar doente?", "e se as pessoas não gostarem de mim?".

Pare imediatamente com esse "e se?" mental, que tanto o atrapalha. Esses tantos "e se?" na vida fazem com que a gente perca a nossa força e a dimensão de quanto podemos prosperar.

Quero que você compreenda algo muito importante a partir de agora:

Porque você pode desfragmentar a possibilidade real de viver sonhos fantásticos na sua vida. Do mesmo modo, toda ansiedade forma trincheiras energéticas que bloqueiam o campo da vibração mental da Lei da Atração.

> *Existe uma chave química que vou lhe contar agora: o Universo é esplendoroso, e a Lei da Atração deve vibrar dentro de você na bioquímica do cérebro e por toda a fisiologia humana.*

A chave para criar ressonância com todas as oportunidades está na reação química e emocional do corpo e da mente.

Quando você está certo do que deseja, tudo muda, logo, a percepção interior é a conexão química com as células do corpo. É como se você elevasse a potência do cérebro e todo o seu organismo se arrumasse ao máximo, nas alturas das estrelas mais brilhantes.

Sem o “e se?”, você passa a liberar substâncias e hormônios positivos por todo o seu corpo e assim se enche rapidamente de energia produtiva.

Como está sua energia agora?

Existe uma atração que é elevada. Quando você está energizado, cheio de vitalidade e certezas, os sonhos são elevados às nuvens e a Lei da Atração flui muito rápido para você. Você se eleva e passa a manifestar tudo num grande campo do Universo.

Com uma mudança de atitude mental, você consegue alterar a realidade.

Basta trocar o “e se?” por “eu vou”, “eu escolho”, “eu sou”, ou melhor ainda: “eu já consegui”.

O cérebro não sabe separar a realidade da imaginação. A nossa mente obedece à própria consciência, porque a nossa mente não é a consciência.

O cérebro é fruto da consciência, e todas as criações dependem da consciência.

A consciência é nosso “eu” mais íntimo e pessoal. A consciência representa quem somos e a natureza interior de cada um de nós.

Essa natureza influencia o campo de percepção do cérebro e da própria realidade. Por isso a consciência comanda o pensamento dentro do cérebro.

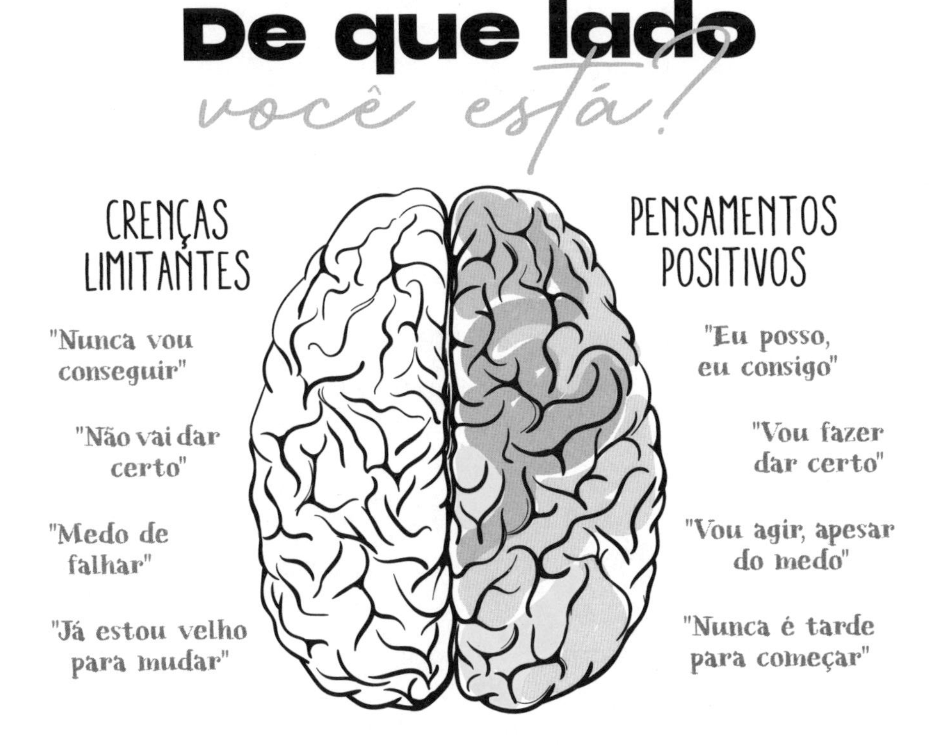

Você tem o poder pra mudar o jogo e deixar o "e se?" de lado.

Use no lugar afirmações diárias para atrair o que você deseja.

Assim, vai usar o poder da imaginação, visualizando todos os dias, ao menos por um minuto, aquilo que você sonha e deseja.

Vivencie com fé dentro do sonho, estimule a energia interior das células, crie um campo de atração correspondente aos seus desejos, e posso lhe garantir uma coisa: você só precisa se dedicar a empreender energia nesse sentido. Mudanças internas vão acontecer.

Três fatores ou aspectos são fundamentais para a Lei da Atração.

Depois de abolir o "e se?" da sua história, o primeiro aspecto é mudar a percepção ou filtro interior. Para isso, você deve olhar de outra maneira algumas coisas. Olhar com amor, positividade e alegria.

Desde as pequenas coisas até todas as circunstâncias maiores. Pois para tudo e em tudo na vida sempre existe algo bom e positivo.

A partir de agora, você só precisa enxergar dessa maneira, procurando aprender tudo que você precisa.

Por exemplo: o desemprego pode ser uma oportunidade para você crescer, evoluir e aprender algo novo.

A solidão não precisa ser algo apenas triste. Não precisa ser um momento de tristeza, mas pode ser um momento de conhecimento e estar com você.

Tudo tem dois lados, e você só precisa mudar o foco e a percepção. A imaginação é outro ponto extremamente poderoso para aplicar a Lei da Atração.

Ao mudar a percepção interna, você estimula o poder da imaginação.

Sempre sugiro a criação de quadros, formas mentais de situações positivas e reais.

O futuro é um estado de percepção imaginativo. O futuro existe dentro da consciência. Ou seja: dentro de você mesmo. Da mente e também dentro do seu coração.

Ao imaginar, sinta e se emocione e viva como se seus desejos fossem reais.

Isso permite a atração de eventos extraordinários. A sua capacidade de imaginar e viver a realidade futura antes mesmo de acontecer é ilimitada.

Vai ficar bem desafiador enxergar um tesouro em você se ainda acreditar que não é capaz ou tiver pensamentos do tipo "As coisas sempre saem erradas para mim".

Acredite e trabalhe isto agora:
há um tesouro em você.

A crença de que a vida está constantemente conspirando contra você e que você está fadado a enfrentar dificuldades está perdendo cada vez mais o poder.

Ela nem existe mais! E se ela tentar voltar, pare e volte a frequência para o positivo.

Crenças limitantes são ideias, pensamentos ou convicções negativas que uma pessoa mantém sobre si mesma, é aquela voz interna conversando com você só que o colocando para baixo, destruindo suas habilidades ou o mundo ao seu redor. Crenças têm o potencial de limitar seu crescimento, a sua prosperidade suprema.

Para vivenciar o tesouro que há em você, é preciso abandonar algumas bagagens que não fazem mais sentido em nossa viagem.

Quando ouvimos generalizações como "todo mundo está assim", é hora de questionar: "Todo mundo quem?".

Agora você tem força para fazer essa pergunta!

Quando ouvimos generalizações como "todo mundo está assim", é hora de questionar: "Todo mundo quem?".

Agora você tem força para fazer essa pergunta!

Quando pensamentos negativos surgem, questione-se: "Isso sou eu pensando? Eu não pensaria assim".

Esse é o momento de começar a reprogramar sua mente, de começar a agradecer, reconhecendo o tesouro que existe em você.

Gosto de pensar nisso como "pó de ouro no ar".

Para mim, essas são oportunidades flutuando ao nosso redor o tempo todo. Mas lembre-se, quando você vê uma oportunidade, não a deixe passar, pois, se você não a agarrar, outra pessoa o fará.

Essas oportunidades estão disponíveis para todos nós, em todos os lugares, mas às vezes não as reconhecemos por conta de nossos padrões mentais. E é aí que surge a pergunta: "Por que uma pessoa vive na alegria e na prosperidade, enquanto outra vive na escassez?".

Durante toda a minha vida, procurei entender por que vivíamos na escassez enquanto outros viviam na abundância. O que as pessoas prósperas fazem de diferente? Como elas pensam?

Uma pessoa pode viver em constante medo, enquanto outra transborda fé e alegria.

A fé aqui é entendida como força espiritual interna. Por que uma pessoa experimenta o sucesso enquanto outra vive no fracasso? Tudo isso se resume à conexão que escolhemos estabelecer com o Universo e com nós mesmos.

A consciência é você.

Lembre-se sempre disso.

Quando você usa os elementos fundamentais da consciência, que são percepção, imaginação, expectativa, você ativa uma força infinita da Lei da Atração.

Você se ilumina, se enche de alegria, passa a conquistar as pessoas, maravilhas e todos os sonhos viram realidade.

O tesouro está dentro de você.

ANOTAÇÕES

Quais downloads você fez a partir deste capítulo?

Quais decisões você toma a partir de agora?

4º Passo

Rompendo com as amarras

Por dentro da inteligência *emocional*

Prosperidade, paz, liberdade são nosso estado natural de existência. Estamos programados para viver em abundância. Se algum campo de sua vida está feliz agora como você deseja, este livro vai ajudá-lo a se harmonizar com a abundância real.

Certamente o tema "pensamentos" é algo sobre o qual você já ouviu falar diversas vezes. Será que os pensamentos são apenas uma função cerebral ou seriam eles os primeiros passos para a transformação de uma vida?

Desde o nosso primeiro suspiro, os pensamentos nos acompanham, e permanecerão conosco em todos os momentos, tanto nos bons quanto nos ruins.

Mesmo quando desejamos esvaziar a mente, lá estamos nós, pensando novamente.

É por meio dos pensamentos que nascem os sentimentos, as emoções, os desejos e nossos sonhos mais íntimos – até mesmo aqueles que, por vezes, não temos coragem de compartilhar com ninguém.

Tudo o que existe hoje, em algum momento, foi apenas um pensamento na mente de alguém.

Sempre costumo dizer que o visível tem seu início no invisível.

Todas as mudanças que almejamos para nossas vidas, em qualquer área, devem começar em nossos pensamentos para, somente depois, se concretizarem no mundo físico. Já pensou que a caneta, o papel, a cadeira, a luz, a mesa, o carro... Tudo nasceu primeiro antes dentro e depois passou a existir fora?

Estamos cheios de ideias e carregados de sonhos.

Isso é ótimo!

Sinal de que somos abundantes em ideias e criatividades. Somos prósperos indiscutivelmente. Até quando seus pensamentos dizem que você não é próspero, até quando suas comparações dizem que você não é próspero, saiba que SIM, você é!

Sim, você é!

Para cada pessoa, prosperidade tem um significado próprio, pois prosperidade é sinônimo de felicidade, e cada pessoa tem sua própria versão de felicidade.

Você pode não notar, mas desde o momento em que abriu este livro, todas as suas células mudaram sua vibração e se alinharam com a felicidade. Com a sua felicidade, porque você tomou uma decisão. Prosperidade é decisão, logo, felicidade é decisão.

Você está agora em sintonia com a prosperidade suprema!

A prosperidade é uma realidade. Quando nossas raízes insistem em nos manter no lugar de escassez, isso não é nosso normal.

O que você precisa sempre lembrar é que não podemos nos limitar apenas à capacidade de pensar; é preciso agir. Isso precisa estar muito bem combinado entre nós.

Em várias palestras e cursos que dou e falo de Lei da Atração para prosperidade, por exemplo, alguém diz: "Mas eu fiz tudo o que foi mandado e nada aconteceu para mim".

É como se essa pessoa ficasse sentada numa cadeira de restaurante esperando para ser atendida pelo garçom.

Espere! Não se iluda, que não é assim a linguagem do Universo em funcionamento para mim e para você.

Pensamentos são essenciais para o sucesso de uma pessoa, mas, sem a combinação com a ação, são inúteis.

Neste exato momento, uma vasta caixa de ferramentas se abre diante de você, e sei que você escolherá a ferramenta de que mais precisa nesse momento.

Daqui um tempo, se você fizer novamente a leitura deste livro, irá escolher outras ferramentas de que precisar. Cada momento é único, e, como estamos sempre em evolução, a nossa alma percebe coisas diferentes o tempo todo.

Falar de prosperidade suprema sem abordar a inteligência emocional é como tentar digerir algo sem mastigar. É como querer dirigir um carro sem habilitação.

Sei que nem sempre é tão fácil quanto parece. Temos muitas influências negativas ao nosso redor que nos atrapalham. Mas precisamos treinar para que isso aconteça. E esse treinamento é contínuo, dia após dia.

Sabe exercício de academia? Pois é: não adianta nada fazer um dia e sumir, não é mesmo?

Logo, nosso treino requer disciplina, e a partir de agora você vai internalizar os conceitos de inteligência emocional que trarei neste livro para que possamos seguir com aquilo que fará com que você tenha uma prosperidade suprema em sua vida.

E quando falamos de inteligência emocional, entenda que esse é o mecanismo que temos para que possamos colocar a nossa vida nos trilhos.

Eu sei que muitas vezes você reclama que sua vida está complicada e nada vai pra frente. E é justamente por isso que a inteligência emocional se torna tão importante.

Confesso a você que este livro é quase uma terapia. Escrevi com todo o meu amor e dedicação porque sei que estou tocando sua vida com essas palavras.

Aliás, já reparou como a palavra terapia se tornou estigmatizada com o tempo?

Durante muitos anos, a gente ficou acreditando que terapia é pra fraco, terapia é pra quem é doente mental, pra quem tá com problema... Então a maioria dos homens morria de vergonha de fazer terapia.

E eu sempre dizia nas minhas palestras: "O homem procura o cardiologista porque já infarta direto". E as pessoas falavam: "Terapia é coisa de gente fraca, porque ele tem problema, porque ele não tem Deus no coração".

Imagine quanto preconceito embutido numa só crença.

Todo preconceito é um conceito antecipado. No dicionário, preconceito significa "conceito antecipado sem fundamento". Então, todo preconceito é sem fundamento.

Logo, muitas vezes as pessoas tinham certo preconceito para fazer alguma coisa na vida e principalmente para cuidar dos fatores emocionais.

Então, a maioria das mulheres buscava psicólogo, terapeuta, psiquiatra, e os homens tinham vergonha.

Embora esse preconceito tenha diminuído ao longo do tempo, ainda é um tabu para muitos falar de saúde mental.

E para termos saúde mental, precisamos desenvolver inteligência emocional.

Conhecendo os pilares da *inteligência emocional*

Esse passo é muito importante, porque, para viver uma prosperidade suprema, precisamos ser melhores. Evoluir e viver plenamente inclui sermos melhores em muitos aspectos.

Quem tem já a consciência da abundância só irá procurar o melhor e só irá aceitar o melhor, e dessa forma o Universo sempre irá corresponder a você assim.

Vamos entender um pouco sobre nossas emoções antes de, de fato, embarcar nos 7 Passos que separei para você nesta obra. Você verá que seu aproveitamento será bem mais rico ao conhecer melhor essa etapa.

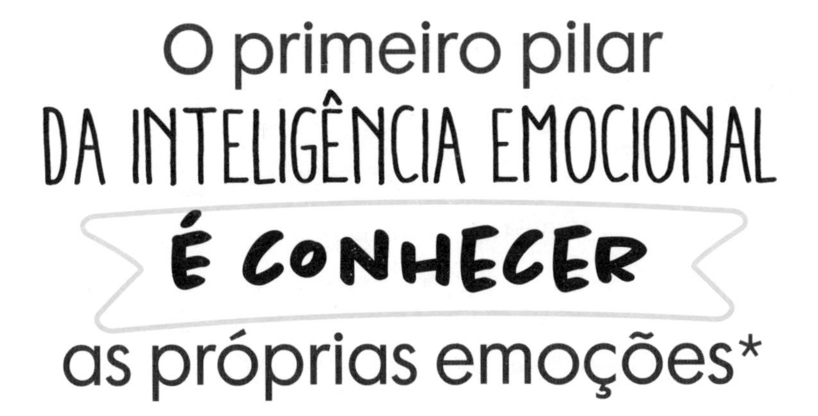

**Com base nos estudos do livro GOLEMAN, Daniel. Inteligência Emocional: a teoria revolucionária que redefine o que é ser inteligente. Rio de Janeiro: Objetiva, 2012, 383 p.*

Na década de 70 e 80, um bom profissional era uma pessoa sem emoção, era uma pessoa que não demonstrava suas emoções.

E de alguns anos pra cá, sabemos que se tornou muito útil aprendermos a trabalhar nossas emoções, além de reconhecê-las e principalmente saber lidar com elas.

Uma pessoa que reconhece as próprias emoções é uma pessoa corajosa.

Porque a maioria das pessoas não tem coragem de olhar para suas próprias emoções.

Sei disso por experiência própria: quando atendia meus pacientes em consultório, eu observava exatamente essa dificuldade dos pacientes de lidar com as emoções. Tanto deles quanto dos demais.

Vamos imaginar uma cobra. Imagine que você está fazendo uma trilha e, sem perceber ou ver, tem uma cobra pelo caminho, e essa cobra estava meio camuflada e você não notou. E aí você pisa no rabo dela. Imediatamente, o que essa cobra faz?

Ela se vira, dá o bote e pica você. Então, ela injeta o veneno. Por que isso acontece?

Porque a cobra tem apenas o instinto. Ela não tem inteligência emocional.

Quando você pisar no rabo dela, ela não vai pensar em

revidar. Ela simplesmente vai picar a pessoa. Ela não tem esse tipo de inteligência. Ela só tem a reação. Logo, ela ataca.

No entanto, se você está no supermercado e de repente alguém bate o carrinho em você, você pode ter uma reação.

Tem pessoas que já viram e xingam: "Oh, não está me vendo aqui?" – e geralmente são pessoas sem inteligência emocional.

Pessoas que não pensam "Puxa, esta pessoa não me viu..." ou até mesmo ponderam de alguma forma: "Esta pessoa pode estar com pressa, com dificuldade de enxergar".

O fato é que a pessoa sem inteligência emocional tem uma reação imediata. Pode perceber no trânsito. Alguém fecha o seu carro e o que você faz? Reage.

Já cansamos de ver vídeos na internet de pessoas brigando no trânsito. E a maioria das brigas é por bobagens e coisas que poderiam ter sido evitadas caso os envolvidos tivessem algum tipo de inteligência emocional.

Indo mais a fundo, quantas pessoas perderam a vida numa briga de trânsito, numa briga de bar, numa confusão, ou numa briga por ciúmes?

Consegue perceber que a inteligência emocional está presente em tudo?

Então, lembra da cobra na trilha? Você pisou no rabo dela,

ela vai automaticamente ter um instinto de se defender. Alguém esbarra em você, pisa no seu pé no supermercado, na fila, você tem um raciocínio, se tem inteligência emocional.

Porque muitas pessoas não têm inteligência emocional. Hoje a inteligência emocional está sendo muito buscada até por empresas. Porque um dado muito importante que talvez você não saiba é que "Nove em cada dez pessoas são contratadas pelo currículo técnico.

Porém, essas pessoas são demitidas por causa de problemas diretamente relacionados à falta de inteligência emocional".

Se conheço as minhas emoções, sei que, se eu ficar nervoso, ou passar por situações desafiadoras, preciso construir em mim mecanismos para enfrentar o meu desafio.

E todos nós temos desafios: seja no trabalho, seja no relacionamento com o filho, seja para entender melhor o seu companheiro ou a sua companheira, a sua namorada, a pessoa que às vezes você ama tanto, mas que tem comportamentos que estão fazendo até com que você vá perdendo o amor por ela.

E muitos já perdemos pessoas porque não soubemos lidar com problemas e causamos situações por não termos tido inteligência emocional suficiente para lidar com determinados tipos de desafios.

"Mas como é que eu vou aprender a lidar com essas

situações? Eu vou gerenciar?", você deve estar se perguntando.

Sim, você será um gerente das suas próprias emoções.
A Inteligência Emocional foi uma teoria desenvolvida por Daniel Goleman, o pai da psicologia positiva. E ela é dividida em cinco pilares.

Quem não tem inteligência emocional sofre no mundo, porque quer controlar, e o mundo externo você não controla.

Por exemplo, a mim você não controla, o seu marido você não controla, os seus filhos você não controla.

Você tem a sensação de que está no controle, mas gasta a sua energia pra achar que está no controle.

Por isso que a prosperidade não vem, o relacionamento fica ruim, por isso que você acha que a vida está totalmente bloqueada e travada. Porque não tem inteligência emocional.

Então, do mesmo exemplo da cobra numa trilha, que, quando você pisa, ela já pica, naquele momento ela não tem inteligência, ela não fica perguntando assim "Peraí, será que ela pisou em mim sem querer?".

É isto que quero lhe mostrar: pessoas mais seguras são melhores pilotos da própria vida.

O que eu controlo é a mim mesmo, ou seja: eu não controlo

o outro. Então, quando trabalho a inteligência emocional em mim, sou o melhor piloto da minha vida.

O que acontece com grande parte das pessoas é que fazem da vida como se fosse um táxi. Elas se sentam no banco do passageiro e deixam o outro dirigir pra elas. E os outros guiam a vida delas constantemente.

Mas precisamos dirigir a nossa vida. E com a inteligência emocional, somos os pilotos.

Quando você tem inteligência emocional, se torna mais inteligente. Porque consegue lidar melhor com as situações.

Tem pessoas que falam assim, "William, eu não sei como você consegue resolver as coisas de uma maneira calma".

E aí a pergunta que sempre faço é: "Por que eu vou resolver as coisas de uma maneira histérica? Por que vou resolver as coisas gritando, se eu tenho inteligência emocional?".

Então, se tenho que falar alguma coisa pra alguém, falo no meu mesmo tom de voz, do mesmo jeito, com toda a educação que tenho.

Porque eu sou quem eu sou, e permito ao outro ser quem ele é.

Esta frase é uma lição para a vida: eu sou quem eu sou, quem eu consigo ser no meu momento de vida, e dou ao outro o direito de ele ser quem ele é.

Já dizia Chico Xavier em uma de suas falas: “Aos outros, dou o direito de ser como são. A mim, dou o dever de ser cada dia melhor”.

Recentemente, quanto fazia pausas na escrita desta obra, vi uma matéria sobre uma briga no litoral de São Paulo.

Um homem estava num restaurante, discutiu e logo em seguida voltou armado e atirou nas pessoas que haviam discutido com ele. Sei que cenas como essa você já viu muito na TV, ou até mesmo tenha tido o desprazer de presenciar ou vivenciar cenas de violência gratuita.

Imagine a falta de inteligência emocional. Primeiro pela discussão, depois pelo pensamento instintivo do "eu não levo desaforo pra casa, eu vou voltar aqui e vou me vingar". O que quero dizer é que a inteligência emocional parte até da nossa evolução espiritual.

E quando trabalhamos a nossa inteligência, estamos expandindo a nossa consciência.

É aí que aprendemos a lidar com situações.

Se lhe perguntam "Você não vai responder a ele?", você saberá imediatamente que não. Ele é quem ele é. Você é você.

No entanto, não estou dizendo para você fazer papel de trouxa.

Aliás, se ainda não leu meu livro Em Mim Basta!, da Editora

Citadel, já coloque em sua lista de leituras, porque nele eu mostro como dar um basta em determinadas situações e impor seus limites.

Além disso, me aprofundo muito mais nas questões de crenças limitantes.

É claro que não deixo as pessoas me enrolarem, é claro que exijo os meus direitos.

Se estou num restaurante, num hotel, e ali não está o que eu contratei, vou chamar o gerente e dizer "Eu não contratei este quarto, este quarto tá errado". Eu vou exigir o que é meu por direito.

Mas isso é diferente de brigar, dar escândalo, humilhar o outro, entrar em violência. O primeiro pilar da inteligência emocional é este: conhecer as próprias emoções.

Quando você se conhece, sabe o que vai desestabilizá-lo. E então, passa a racionalizar mais as emoções.

E esses pilares são como pecinhas em um grande mosaico.

Sabe aquele quadro do mosaico bem bonito que, quando você olha de longe, é um quadro, mas quando você vai chegando bem pertinho, são várias pecinhas coladas que formaram aquele desenho?

Os pilares que formam a inteligência emocional são compostos de peças que formam um grande mosaico.

No final deste capítulo, tudo fará mais sentido para você começar a se preparar para atrair a prosperidade suprema a sua vida.

Mas como lidar com as nossas emoções?

É nesse momento que precisamos de ajuda.

Porque, às vezes, sozinhos não conseguimos. A gente precisa de um terapeuta, de uma pessoa do nosso lado nos ajudando, precisamos de mentores, de amigos, de pessoas que amamos. Mas, sobretudo, precisamos de nós.

Então, o primeiro pilar é conhecer as emoções, lidar com as emoções.

O segundo pilar é controlar essas emoções, porque as emoções virão. De um jeito ou de outro.

Vamos fazer um exercício para você entender o que estou querendo mostrar: quero que você agora pense na pessoa que você mais ama, a pessoa de quem você gosta muito. E quero que você dê um grande sorriso, mande um sorrisão pra ela; pense na pessoa que você mais ama e dê esse sorrisão.

Agora segure o sorriso, não desmonte o sorriso, e comece a pensar na pessoa de quem você não gosta, aquela pessoa que puxou seu tapete, a pessoa que o enganou. Segure o sorriso, não desfaça o sorriso, fique com o sorriso e traga uma pessoa de quem você não gosta, que é invejosa, que o atrapalha.

Você consegue manter o sorriso pensando na pessoa de quem não gosta, na pessoa que pisou na bola, na pessoa que puxou seu tapete, na pessoa que lhe fez algo ruim, na pessoa que o traiu?

Não. O sorriso se desfaz imediatamente.

Então, o que eu fiz? Fiz você pensar em uma pessoa que você ama. Logo, você trouxe sentimentos de amor, generosidade, felicidade. Foi fácil dar o sorriso. Quando falei "Traga à sua mente agora uma pessoa de quem você não gosta, que o traiu, que o enganou, que o santo não bate", o que acontece nessa hora?

O nosso físico, que é o sorriso que você estava transmitindo, a sua expressão facial, desmorona.

É impossível manter o sorriso.

Se você for uma pessoa honesta, verdadeira, nesse momento, você não mantém o sorriso. Por isso, lidar com as emoções não é querer uma vida sem emoção, mas saber lidar com elas.

Olhe como é diferente ter inteligência emocional.

Quando a gente quer comprar pão, vai à padaria. Quando a gente quer arrumar o carro, vai ao mecânico.

E quando a gente quer lidar com o nosso emocional, com os nossos relacionamentos, com as nossas aflições, as nossas angústias, as nossas dores silenciosas?

Abri uma caixinha no meu Instagram (@ williamsanchesoficial) perguntando qual a sua dor silenciosa. Fiquei impressionado com as dores que tive como resposta. Foram elas que me equiparam a começar a escrever este capítulo.

É por isso que muitas vezes precisamos de alguém especializado que nos ajude com nossas dores. Porque às vezes a gente tá com um problema no relacionamento e vai se aconselhar com aquela tia que se divorciou e não acredita numa relação, e está cheia de crenças limitantes, traumas e dores.

O que ela vai lhe falar é com base na visão de mundo dela.

Logo, pode ser que ela diga: "Homem nenhum presta mesmo, fica longe dos homens, homem nenhum quer nada sério, ninguém quer nada sério nesse mundo, esquece, olha como que tá o mundo, o mundo tá do avesso, o mundo tá ao contrário, o mundo tá em crise".

E se for uma pessoa que você admira, você vai ouvir aquela pessoa e acatar aquilo que ela está lhe dizendo. E vai pautar a sua vida em uma visão de mundo dela.

Então, às vezes queremos nos aconselhar sobre problemas de relacionamento, problemas emocionais, com pessoas que estão cheias de problemas emocionais.

Será que vai funcionar?

Por isso é tão importante você ter um terapeuta, ter uma pessoa séria e neutra. Porque essa pessoa não irá julgá-lo ou dizer que você está com depressão porque não tem Deus no coração.

Ou discriminá-lo porque acha seu problema "pequeno demais" diante dos problemas dos outros. Faça também sempre leituras como essa, que irão agregar mais conhecimento a você.

Quantas vezes vi pessoas fazendo isso?

Elas olham e dizem: "Você tem tudo, tem roupa, tem comida, tem carro, tem casa, olha aí um monte de gente no mundo passando fome e você tá com a geladeira cheia e vem me falar que tá em depressão".

Tem pessoas que não compreendem a depressão, que não compreendem a ansiedade.

Elas não têm inteligência emocional; mesmo que nos amem, estão fazendo como elas aprenderam.

Quando falamos sobre o segundo pilar, que é controlar as nossas emoções, temos dois tipos de mentes, dois tipos de comportamento.

Temos um tipo de comportamento que é a nossa autopercepção, ou seja, é aquele momento em que a gente acha que está tudo certo, que está tudo bem.

A visão que temos das coisas e a visão que temos das situações.

Todos temos autopercepção. Porém, as pessoas à nossa volta têm algo que chamamos de heteropercepção. Heteropercepção é a percepção que outras pessoas têm da mesma situação que você e das coisas.

Então, às vezes você acha que foi supergentil numa situação e o outro que está ao seu lado diz assim: "Nossa, achei que você foi um pouco grosseiro".

Essa pessoa teve uma heteropercepção, que é a percepção de quem viu a situação de fora.

Portanto, às vezes acreditamos que aquela situação foi tranquila e educada, porém, outras pessoas acham que aquela mesma situação foi um transtorno, que você foi grosseiro.

Porque elas têm a visão de mundo delas.

E eu quero fazer uma pergunta para você refletir: você é o que as pessoas enxergam ou você é o que você pensa?

No meu livro **Desperte a Sua Vitória**, da Editora Citadel, tem uma frase que eu quero compartilhar: *"A vida não é feita de grandes vitórias todos os dias, a vida é feita de pequenas vitórias todas as horas".*

Eu adoro essa frase.

Essa é a nossa vida, né?

O terceiro pilar DA INTELIGÊNCIA EMOCIONAL é a automotivação.

A automotivação é algo que às vezes a gente acha que só vem dos outros. "Ah, eu vou participar, sim, de uma palestra motivacional, vou sair de lá, vai ser um arraso."

A pessoa participa da palestra, está motivada no primeiro dia, no segundo também, mas no terceiro a energia já caiu.
Em uma semana, aquela pessoa não se lembra de mais nada.

E por que isso acontece?

Porque a palestra foi só motivacional, ela o motivou naquela hora, mas é uma motivação externa.

Só que depois você volta pro seu mundo. E quando a gente volta pro nosso mundo, tem a influência de quem está à nossa volta, a influência dos nossos pensamentos, a influência das nossas emoções, a influência daquilo que nos machuca.

Por isso o terceiro pilar da inteligência emocional é motivarmos a nós mesmos. Por isso é tão importante termos foco e termos pessoas ao nosso lado que nos impulsionam.

Então, você vai ter pessoas que irão dizer: "Vamos lá, vai acontecer, vai mudar sua vida, você vai avançar, vamos lá, vai acontecer, vamos juntos".

Só que na hora em que você mais precisa, é você com você. Por isso, quanto mais ferramentas você tiver para enfrentar os desafios, melhor será.

Um soldado passa anos e anos e anos no exército treinando, preparando seu físico e emocional. Quando vem uma situação de guerra, uma situação de dificuldade, ele está pronto para enfrentar aquele desafio. Ele não fica em casa falando "Meu Deus, o que eu faço agora?".

E nós ficamos desesperados quando acontecem coisas que saem do nosso controle.

A primeira coisa que a gente faz é ficar sem dormir: "Meu Deus, o que eu vou fazer com esse problema?". Logo depois, paramos de comer e perdemos as forças. E então, repetimos para nós mesmos: "Nossa, eu não acredito que a minha vida tá assim, na minha vida nada vai pra frente, tudo para mim é complicado".

Pronto. É assim que você destrói todo o seu emocional.

Justamente o emocional, que poderia ser seu maior aliado. Você percebe que fazemos justamente o contrário do que um soldado faz?

Não nos preparamos para momentos desafiadores, e quando os momentos de desafio vêm na nossa vida, seja no relacionamento, no emprego que você perde, uma empresa que faliu, uma dívida, uma enfermidade, então você paralisa com aquele desafio.

Por isso, quando veio a pandemia, muitas pessoas não tinham inteligência emocional e entraram em colapso mental.

Muitas se suicidaram, outras fecharam seus negócios, fracassaram. Muitas pessoas passaram por desafios muito pesados.

Daqui a dez anos, quando alguém falar de pandemia, você vai lembrar o que você passou, porque sentimos na pele, não sabíamos o que era.

Só que, depois da pandemia que tivemos do coronavírus, estamos vivendo uma pandemia emocional.

Mais de 18 milhões de pessoas hoje sofrem de ansiedade, segundo a Organização Mundial da Saúde. Pessoas afastadas do trabalho porque estão num momento de desafio, num momento de guerra interna.

Aqui não estou falando daquela ansiedade positiva, mas da ansiedade patológica.

Porque aquela ansiedade gostosa, de esperar por uma festa ou de fazer algo de que gostamos, nos traz uma expectativa boa.

Mas tem muitas pessoas que, diante desse nível de ansiedade, levam ao extremo, e aí não conseguem fazer mais nada.

Elas não conseguem ir para o emprego, não conseguem curtir a festa.

Aquilo que era pra ser bom vira um inferno.

Você quer desistir, quer cancelar, dá dor de barriga, vomita, não dorme à noite.

Então algo que seria pra ser prazeroso e bom passa a se tornar uma dificuldade.

Por que isso está acontecendo na vida de tantas pessoas?

Porque a ansiedade se descontrolou, ela subiu em níveis altíssimos.

Falei um dado agora há pouco, que mais de 18 milhões de pessoas, segundo a Organização Mundial da Saúde, sofrem de ansiedade hoje, no Brasil.

No mundo, então, o número é alarmante.

E a ansiedade, quando toma conta da sua cabeça e do seu coração, não dá espaço pra você ser criativo.

Ela não dá espaço pra você prosperar, não dá espaço pra você ver as oportunidades.

Ela não lhe dá espaço mais. Não permite que você vá pra frente e avance.

Precisamos de entusiasmo na vida. O entusiasmo faz com que a gente avance. E entusiasta, do grego significa, "Deus em você". Olha que bonito isso.

Então, o entusiasta, aquela pessoa cheia de vida, vai com entusiasmo pra vida e faz as coisas acontecerem na vida dela. Só que às vezes esse entusiasmo vai caindo, vai caindo, vai caindo, e a gente vai perdendo prazer. Por isso precisamos nos cuidar.

Porque nem sempre a gente se cuida.

Porque às vezes você gasta um dinheiro tão grande com roupa, dando presentes para os outros, com bobagens para o seu dia a dia, e você não usa o seu dinheiro para você.

Porque você acha isso ruim, você acha isso uma bobagem.

E aí surgem sentimentos como culpa, medo, solidão, rejeição, tristeza, sentimentos que, quando tomam conta da nossa vida, a gente deixa de ser quem é.

Então, será que hoje você está vivendo o que realmente você é? Ou será que hoje você está vivendo aquilo em que os seus sentimentos o transformaram?

Por que estamos falando de inteligência emocional, será que a falta de controle das suas emoções está fazendo você ser quem você é hoje? Ou você está no controle da sua vida?

Ao controlar as suas emoções, você passa a pensar melhor sobre elas, a se tornar mais real, mais consciente. Porque pessoas sem controle emocional estão sempre em conflitos, confusões, brigas.

Elas não conseguem conversar com seus filhos, seus companheiros, suas companheiras. E vimos recentemente, no Brasil, adolescentes que têm acesso a arma fazerem estragos, porque não tinham inteligência emocional.

São os famosos "filhos do quarto", porque o pai não sabe conversar, a mãe não consegue conversar, e aquele adolescente se tranca no quarto.

Quem está dentro da casa não sabe o que aquela pessoa está sentindo. Não estou dizendo que a culpa seja só dos pais, mas quero ajudar a refletir que "os filhos do quarto" sofrem diariamente com suas emoções, porque não criamos a cultura da conversa, da compreensão, da comunicação sem julgamentos... E aí vem aquela dor silenciosa.

Por isso falo que as dores silenciosas têm matado milhares de pessoas todos os dias.

Porque uma pessoa, quando acessa uma arma e quer destruir a vida das outras pessoas, ela já está destruída por dentro há muito tempo, há muitos anos.

Entenda: se você se abandonar pelo meio do caminho, ninguém volta pra te buscar.

Se você não tiver legal pra ajudar a sua família, você não tem como estar bem. No avião, se necessitar de máscaras de oxigênio, elas vão cair, mas, antes de colocar a máscara de oxigênio em outra pessoa, ajudar outra pessoa, coloque a máscara em si mesmo.

Logo, para ajudar sua família, fazer sua empresa prosperar, ser um bom colaborador, ser um bom funcionário, galgar um cargo melhor, é preciso ter inteligência emocional.

Já viu quantas pessoas perderam oportunidades porque dentro da empresa os líderes acreditavam que elas poderiam causar problemas?

Quantas vezes você não ouviu a frase "Não vamos colocar ela nesse cargo porque ela não tem o perfil"? E, às vezes, o líder contrata pessoas de fora pra preencher aquela vaga.

Mas por quê?

Porque ninguém vai ser promovido se se envolve em brigas, se envolve em problemas e conflitos com os demais.

Veja bem a importância de cuidar do seu lado emocional.

O quarto pilar da inteligência emocional é algo que está muito em alta, que as pessoas têm falado muito, que é a empatia, a famosa empatia.

Você vai reconhecer agora, no quarto pilar, a emoção nos outros.

Imagine só como algumas situações de conflitos seriam melhoradas se você tivesse mais ferramentas para trabalhar e para se movimentar.

O quarto pilar: *empatia*

A empatia é esse dom de reconhecer a emoção do outro e compreender melhor. Assim você vai entender o que o outro está comunicando. Quando o outro chega gritando ou nervoso, você entende o que ele quer comunicar.

Temos de aprender a reconhecer as nossas emoções e também a reconhecer a emoção do outro. E melhor, aprender a lidar com elas. E aí você se torna uma pessoa mais empática.

Às vezes aquela pessoa quer comunicar uma outra coisa e você, sem inteligência emocional, não percebe e parte pra briga. E muitas vezes aquela atitude mais grosseira, uma atitude de alguém que está aqui querendo puxar briga, significa que a pessoa está só querendo atenção. Essa pessoa está só querendo que alguém olhe por ela. Está com uma dor que precisa sair de alguma maneira.

Tão importante quanto lidar com as nossas emoções é compreender a emoção do outro. Porque o outro pode estar passando por situações muito difíceis. E se você tem empatia, consegue entender sem revidar.

Pessoas com grande empatia têm sempre uma grande filosofia de vida, o ato de se colocar no lugar do outro. E esse não é o maior ensinamento de Jesus? Não fazer pelo outro o que eu não gostaria que fizessem para mim?

Então faço para o outro o que eu gostaria que o outro me fizesse. Jesus foi o homem que mais trouxe inteligência emocional para a Terra. E ele já ensinava isso há mais de dois mil anos. Eram simples ensinamentos que faziam com que as pessoas se colocassem no lugar do outro.

Perceba que nem sempre o outro tem algo contra você. Às vezes você acha que seu colega de trabalho tem algo contra você. Calma, entenda a emoção do outro, por que ele está agindo assim?

Pergunte a si mesmo: o que eu desperto no outro? O que eu faço que desperta no outro essa raiva? Por que eu desperto no outro uma raiva? Por que eu desperto no outro inveja?

E de que forma vamos aprender a lidar com tudo isso?

Trabalhando melhor as nossas emoções, os nossos próprios sentimentos. Não tenho como compreender o sentimento do outro se não compreender o meu.

A empatia é um processo, requer treino e dedicação. É um bem treinável.

As empresas buscam isso. Se você tem um negócio, vai aprender a lidar melhor com as pessoas que estão ali.

O quinto pilar DA INTELIGÊNCIA EMOCIONAL: Sociabilidade

Sociabilidade é relacionar-se interpessoalmente, ou seja, lidar com os nossos relacionamentos. Todos nós estamos envolvidos em relacionamentos.

E quando aprendemos a lidar melhor com os nossos relacionamentos, com as nossas emoções internas, melhoramos também os nossos relacionamentos.

O primeiro relacionamento e o relacionamento por uma vida inteira, é conosco mesmo.

Somos os nossos espectadores desde a hora em que a gente nasce até a hora que a gente morre. Todo o resto pode ser passageiro. Mãe, pai, tio, tia, podem ser passageiros.

Muitas pessoas já entraram na sua vida, já encerraram ciclos e saíram, mas foram relacionamentos que você teve. E essas pessoas podem ter lhe ensinado muita coisa para você aprender.

Saber viver melhor em sociedade, que é o quinto pilar, é vital para sua sobrevivência.

A falta disso leva as pessoas a repetidos desastres. Tem

pessoas que entram em uma empresa, saem, depois entram em outro emprego e são demitidas novamente. E elas dizem que são perseguidas.

Mas quando aprendemos a lidar com as nossas emoções, melhoramos o nosso relacionamento externo, porque melhoramos o nosso interno.

Então não deixamos a influência de fora entrar e mudar quem somos.

O seu aproveitamento com certeza será muito maior.

Lembre o que escrevi no começo: você está diante de uma caixa de ferramentas e vai tirando a ferramenta de que precisa. Que estar diante da ponte e não atravessar o rio não adianta em nada.

Todas essas informações são muito sérias e de profunda transformação quando estão conscientes.

A Prosperidade Suprema é a soma de pequenos passos que, quando estão na direção certa, se transformam em grandes.

Thomas Jefferson foi o terceiro presidente dos Estados Unidos e o principal autor da Declaração de Independência dos Estados Unidos. Ele dizia que ***"Nada pode parar o homem com a atitude mental correta de atingir seu objetivo, e nada na Terra pode ajudar o homem com a atitude mental errada".***

A INTELIGÊNCIA EMOCIONAL
pode mudar
a sua vida.
DE DENTRO
para fora

Vamos identificar as crenças limitantes que temos e, além disso, saber observar melhor nossas emoções a partir de agora.

Quanto mais ferramentas tivermos para enfrentar os desafios, mais chance temos de viver a Prosperidade de forma Suprema.

Porque onde há uma crença limitante, há uma barreira para o nosso sucesso e prosperidade suprema. Vamos trabalhar para mudar essas crenças e transformar nossas vidas. Você pode romper essas amarras, porque eles são invisíveis. Só existem quando você diz que não pode ou duvida de si mesmo.

Você já assistiu ao filme O menino que descobriu o vento?

Esse filme é extraordinário. Se você ainda não viu, recomendo que assista depois, está disponível na Netflix.

O filme conta a história de um menino que vive em uma comunidade na África marcada pela escassez.

E essa comunidade sofre todos os anos com problemas nas plantações, que são fortemente impactadas pelo clima, oscilando entre períodos de seca e chuva.

A família do menino, assim como as outras famílias da comunidade, se prepara para enfrentar a escassez.

No entanto, esse menino começa a ir para a escola, a se educar e a enxergar as coisas de uma maneira diferente.

Um dia, ele nota que o professor, que vai de bicicleta para a escola, tem uma lâmpada na frente da bicicleta que acende quando ele pedala.

Intrigado, o menino decide investigar e descobre um dispositivo acoplado à roda traseira da bicicleta que converte o movimento em energia, acendendo a lâmpada.

Então chegou o dia em que o garoto, desejoso de estudar durante a noite, se viu sem luz para iluminar seus livros.

Junto a um amigo, eles bolaram um plano: "Vamos pegar emprestada a luz da bicicleta do professor". Era uma ideia audaciosa, sem dúvida. Mas, ao tentarem retirar a lâmpada da bicicleta, perceberam que ela não se soltava facilmente. Foi aí que notaram um pequeno fio conectado à roda traseira da bicicleta.

Investigando mais a fundo, o garoto descobriu que havia um pequeno dispositivo – cujo nome ele não sabia – conectado à roda. Quando a roda girava, o dispositivo também girava, gerando energia suficiente para acender a lâmpada na frente da bicicleta. "Espere um minuto", pensou o garoto, "se isso aqui gira e acende a lâmpada, eu posso gerar energia com isso!".

Entusiasmado com sua descoberta, ele voltou à biblioteca da escola, apesar das dificuldades financeiras que sua família enfrentava.

Seu pai não estava conseguindo pagar as mensalidades escolares, e isso impedia o garoto de frequentar regularmente as aulas. Mesmo assim, ele pedia para usar a biblioteca, apesar de ser constantemente mandado embora pelo diretor por causa das pendências financeiras.

No entanto, havia um detalhe curioso nessa história: o professor estava namorando escondido a irmã do garoto.

Essa situação inusitada acabou se tornando um elemento-chave na trajetória do jovem, influenciando os acontecimentos que se seguiriam.

O jovem aproximou-se do professor e expressou seu desejo, dizendo: "Professor, eu gostaria muito de ter acesso à biblioteca". O professor, um tanto surpreso, respondeu: "Mas você não pode utilizar a biblioteca. Você não está em dia com as mensalidades, e o diretor pode decidir expulsá-lo. No entanto, por que você quer usar a bicicleta?". O jovem, com olhos brilhantes de curiosidade, explicou: "É porque eu notei que você tem uma lâmpada na frente de sua bicicleta".

O professor, percebendo o interesse genuíno do jovem, questionou: "E como você sabe disso?". O estudante, então, revelou: "É que tem um homem que visita minha irmã todas as noites e...". O professor, decidido a ajudar, interrompeu: "Está bem, vamos até a biblioteca, eu te ajudarei a ter acesso".

Assim, o jovem começou a frequentar a biblioteca, demonstrando grande sede de conhecimento.

Ele percebeu: "Incrível, eu posso gerar energia! E se eu conseguir gerar energia suficiente, poderia usar essa energia para acionar uma bomba e extrair água do poço. Dessa forma, não dependeríamos mais das condições climáticas e da seca. Mesmo em períodos de estiagem, seríamos capazes de plantar e colher, prosperando".

Ele se deu conta de que essa era uma perspectiva de prosperidade completamente diferente de tudo o que via ao seu redor. "Isso prova que o ambiente ao nosso redor não é desculpa para não transformarmos nossas vidas", pensou.

Empolgado com sua descoberta, ele foi ao encontro de seu pai, mostrando-lhe as pilhas retiradas do rádio, conectadas ao dispositivo que o professor lhe emprestara. "Olhem só para isso", disse ele, empolgado. "Prestem atenção, quero mostrar uma coisa a vocês. Isso aqui é energia eólica; as lâminas transformam o vento em energia. Quero construir um dispositivo ainda maior, um que seja capaz de acionar uma bomba d'água. Assim, mesmo que a terra esteja completamente seca, ainda seremos capazes de plantar e colher. Isso é possível, não é?"

"Sim, é possível", respondeu o pai, mas com certa hesitação.

"Para construir algo assim, eu precisaria de peças para fazer as lâminas. Se eu pudesse usar sua bicicleta, seria de grande ajuda. Teria que remover as rodas e cortar o quadro; você não poderia mais usá-la como uma bicicleta comum."

O jovem, ansioso e cheio de esperança, insistiu: "Você está vendo o potencial disso? Isso vai ajudar a todos nós!".

No entanto, seu pai, tomado pelo ceticismo e pela tradição,

retrucou: "Afasta essa ideia estúpida de mim. Agora, ouça com atenção: você vai aprender sobre agricultura, vai me ajudar na lavoura, aprender a arar, e pode esquecer a escola e a biblioteca. Não quero mais ver você mexendo com essas tolices".

O menino, desapontado, mas ainda cheio de determinação, sabia que tinha um caminho difícil pela frente, mas estava pronto para enfrentá-lo, armado com seu conhecimento e sua paixão por transformar a realidade à sua volta.

Aqui vocês podem perceber que, independentemente das evidências apresentadas pelo menino, o pai simplesmente não consegue perceber ou aceitar a realidade, pois está preso em sua própria mentalidade condicionada.

Observem tudo o que o cerca: por anos ele testemunhou a aridez da terra, as dificuldades do solo e as adversidades enfrentadas por sua comunidade. E então, surge seu filho, com uma perspectiva inovadora, mostrando que é possível gerar energia por meio do movimento, embora para isso seja necessário algo maior do que uma bicicleta.

Ele explica que, com isso, seria possível acionar uma bomba d'água. No entanto, o pai, preso em seus próprios paradigmas, se recusa a aceitar e obriga o filho a trabalhar na terra.

Há uma cena muito rápida, mas extremamente reveladora, em que o pai expressa seus sentimentos mais íntimos. Ele confessa que não se vê como um sonhador, que sente que seu próprio pai não confiava nele e o via como um fracasso.

"É exatamente isso que eu sou", ele conclui. O filho, no entanto, discorda e tenta confortá-lo, lembrando-o de que ele, ao contrário do que pensa, não é um fracasso.

Essa é uma clara demonstração de crenças hereditárias – aquelas crenças e padrões de pensamento que são passados de geração para geração.

Muitas vezes nos pegamos reproduzindo os mesmos comportamentos e atitudes de nossos pais e avós, até mesmo os gestos e expressões.

É importante ter consciência dessas crenças para que possamos começar a transformá-las, reprogramando-nos para a prosperidade.

Com o tempo, o menino consegue convencer o pai com conversas e argumentos, e o pai começa a se abrir para novas possibilidades.

Finalmente, algo surpreendente acontece: o pai concorda em doar a bicicleta para a construção de um grande moinho para a comunidade, que está sofrendo com a falta de recursos.

A despedida do pai da sua bicicleta simboliza um ato de sacrifício pelo bem maior, algo que só foi possível graças à união e participação da comunidade.

Então, todos se juntam – numa época de escassez, sem energia elétrica e alimentos, em um período de conflitos na África.

O menino, finalmente, começa a transformar suas ideias em realidade, tirando-as do papel e colocando-as em prática, mostrando que a mudança é possível mesmo nas condições mais adversas.

Mesmo diante das dúvidas de alguns, pois desconheciam o que era energia eólica e nunca haviam presenciado algo do tipo, questionando como seria possível gerar energia em meio a uma escassez tão grande, a comunidade se reúne, curiosa para testemunhar se o projeto realmente funcionaria.

Esse é o momento que ilustra perfeitamente o que ocorre quando alguém decide quebrar um ciclo de escassez e negatividade.

Para aqueles que ainda não assistiram ao filme, peço desculpas por revelar o final, mas essa cena é crucial e exemplifica o poder da mudança.

O filme, que dura cerca de duas horas, está repleto de lições valiosas e vale muito a pena ser assistido. É uma prova viva de que romper com o passado e as crenças limitantes é possível.

Portanto, não se limite pelas ações ou falhas de sua família.

Só porque seus pais não conseguiram em determinada área, ou porque havia discórdia em seu relacionamento, não significa que o mesmo destino o aguarda. E só porque sua família viveu em escassez, não significa que você deve viver com medo, guardando dinheiro e se preparando constantemente para emergências. Lembre-se: você não é seus pais.

Você não é seu pai, sua mãe, nem as pessoas que o criaram ou os professores que lhe disseram o que pensar.

É importante reconhecer que muitas crenças são plantadas em nosso subconsciente durante a infância, até os sete anos de idade.

A lei da vida é regida pela crença.

Em poucas palavras, a crença pode ser definida como um pensamento em sua mente, e, conforme você pensa, sente e acredita, assim será o estado de sua mente, corpo e circunstâncias.

A história do menino que descobriu o vento é um lembrete poderoso de que as nossas crenças moldam a nossa realidade. E que, se quisermos mudar a nossa realidade, precisamos começar mudando as nossas crenças.

Isso é um exemplo clássico de como as crenças limitantes podem ser quebradas.

Esse menino não permitiu que as crenças limitantes da sua comunidade o impedissem de seguir adiante com sua visão. Ele viu uma oportunidade onde ninguém mais via. Ele acreditou em si mesmo, mesmo quando ninguém mais acreditava.

Voltando ao nosso contexto aqui, quantas vezes deixamos de ver as oportunidades que estão diante de nós por causa das nossas crenças limitantes? Quantas vezes nos sabotamos antes mesmo de tentar?

Quero lhe convidar a refletir sobre isso.

Quais são as crenças limitantes que o estão impedindo de ver as oportunidades ao seu redor? Quais são os "moinhos de vento" que você pode construir em sua vida para gerar abundância e prosperidade?

Lembre-se: o poder está dentro de você.

As oportunidades estão ao seu redor.

Basta acreditar em si mesmo e tomar a atitude necessária para transformar a sua vida.

E o que acontece quando temos uma convicção solidificada?

Quando temos uma convicção solidificada, enfrentamos dificuldades para prosperar.

Temos dificuldade de estabelecer relacionamentos saudáveis, sofremos com baixa autoestima, falta de confiança, falta de iniciativa, autossabotagem, aceitamos menos do que merecemos, temos uma mentalidade de escassez, medos e estagnação por anos a fio.

Portanto, a crença é tudo.

Quando temos um programa mental operando contra nós, os resultados serão negativos.

E está tudo bem se foi assim até agora.

O importante é o que você vai fazer diferente daqui para a frente, como você vai mudar a sua vida daqui em diante.

Porque você pode se tornar consciente e não fazer absolutamente nada. E há muitas pessoas que, mesmo conscientes, não fazem nada para mudar.

Nesse momento, você está de mãos dadas com a escassez, com o fracasso, com as suas dores.

O papel de vítima não combina mais, porque agora você sabe que é consciente das crenças que o estão atrapalhando.

Sou terapeuta há muitos anos e ainda me pego, às vezes, refletindo sobre algumas convicções limitantes.

Encontro-me questionando: "Espera aí, mas por que estou pensando assim? Eu realmente mereço isso? Isso é realmente para mim?". Porque são convicções enraizadas há muitos e muitos anos dentro da mente.

ANOTAÇÕES

Quais downloads você fez a partir deste capítulo?

Quais decisões você toma a partir de agora?

5º Passo

Vivendo o eu do futuro

No mecanismo de criação

o fracasso não faz peso.

Pensamentos são coisas!

Saiba disso. Enquanto você está no seu processo de criação, o fracasso é um vazio extremo sem sentido. Se você insistir nele e insistir em criar filmes reais justificando o fato de algo não dar certo, aí você está dando peso e vida ao fracasso. Se tem uma coisa que fracasso serve é para você não repetir o que já fez, e está tudo bem!

A tendência inata da sua mente subconsciente está alinhada com a preservação da vida.

Esta é uma declaração crucial: a mente subconsciente está programada para manter você vivo.

Agora, o desafio reside em trabalhar com a mente consciente, que é responsável por mais de 95% dos nossos pensamentos, pois ela está constantemente ativa, pensando sem parar.

Experimente parar de pensar agora mesmo.

Não é possível, certo? Mesmo quando você decide não

pensar em nada, sua mente já está ocupada com novos pensamentos.

Os pensamentos negativos, em particular, têm a tendência de ser invasivos e não pedem permissão para entrar em nossas vidas.

Eles simplesmente aparecem e, se não formos cuidadosos, começam a se instalar confortavelmente em nossa rotina mental.

Se você permitir, eles se fixarão e se tornarão uma presença constante em sua vida.

Meu eu do futuro cria felicidade para mim e para os outros!

É vital reconhecer que seu subconsciente está sempre reproduzindo seus padrões de pensamento habituais.

Você reparou na frase que deixei acima? Você passou por ela sem perceber que se trata de uma afirmação positiva? Sua mente é a maestra, controlando como você reage às diversas experiências vividas, influenciando até mesmo as funções corporais.

Neurologicamente, pensamentos são impulsos ou padrões elétricos que percorrem nossa mente. Seu cérebro está configurado para buscar o sucesso; você só precisa aprender a falar a língua dele.

Estes métodos são extremamente eficazes e poderosos, mas é importante lembrar que este é apenas o começo.

O verdadeiro desafio surge quando você retorna ao seu cotidiano, assim como o monge que percebe a diferença entre a paz do mosteiro e o turbilhão do mundo exterior.

Manter o equilíbrio interior parece mais simples enquanto estamos em um ambiente controlado e positivo.

No entanto, o desafio real se revela quando retornamos ao nosso cotidiano, à nossa casa, trabalho e círculo social, onde somos bombardeados por negatividade e pessimismo.

Quando essas crenças limitantes retornam, é crucial estarmos atentos.

As emoções, que são reações imediatas e intensas, podem, se não forem tratadas, se transformar em sentimentos permanentes e hábitos de vida. Esses hábitos são os arquitetos da vida que levamos.

Tudo aquilo que a gente pensa, sente e vibra constrói a nossa realidade. Essa é uma das maiores descobertas da física quântica, que nos esclarece como podemos trabalhar para ter o mundo como nosso parceiro.

Já pensou em ter um Universo todo como seu parceiro, numa cocriação de realidade?

Às vezes temos pessoas do nosso lado que tentam nos convencer de algo.

Por isso, um passo importante é que você se afaste de pessoas que tentam lhe fazer reforços negativos.

Todo mundo conhece pessoas que fazem reforço negativo na sua cabeça. São aquelas pessoas que estão próximas a nós e ficam toda hora dizendo que "as coisas estão difíceis". E sem perceber, você acaba entrando nessa energia, quando diz "é verdade".

Além de receber um reforço negativo, ainda reafirmou aquilo e entrou naquela energia. Pode ser que seja até mesmo no trabalho.

Costumamos dizer que no trabalho temos a "laranja podre", que é aquela que fica impregnando energia ruim na fábrica toda, no ambiente.

Às vezes o chefe está correndo, passou apressado para uma reunião, você falou "bom dia", ele não respondeu, e aquela pessoa que impregna palavras negativas na mente dos outros já coloca uma fofoca no ar, dizendo que ele deve estar planejando demitir alguém, ou que as coisas na empresa não devem estar bem.

Isso vira uma bola de neve. É um efeito negativo que se propaga e amplia a negatividade.

Por isso, se afaste deste tipo de pessoas que fazem reforços negativos o tempo todo. Elas não desistem.

Uma segunda dica positiva é listar coisas que já deram certo.

Às vezes estamos fazendo uma coisa e achamos que aquilo é nosso mundo. E o que quero dizer é que você não é o seu problema. Essa situação que pode estar acontecendo agora não define você.

Você é muito maior que tudo isso.

Mas às vezes estamos só olhando para o problema, só olhando para aquilo que não funcionou, e achamos que somos aquilo.

O que quero lhe dizer é que trabalhar a mente é extremamente importante, e isso é treino.

Você pode sonhar e realizar qualquer coisa na vida.

Ao invés de focar em problemas, pode focar em oportunidades, se conectar com a fé, com pessoas que fazem milagres em sua vida.

É bom sonhar, mas, quando você está com pessoas negativas e quando olha para seu problema e acha que sua vida é um problema, você até desiste de sonhar. E os sonhos não dormem, eles adormecem dentro de nós. Portanto, você pode acordar os seus sonhos de dentro de si, de mais de trinta anos.

Se os seus sonhos foram ficando pra trás porque você passou tanto tempo focando em problemas, se seu sonho ficou enterrado porque você deixou de pensar nele, o que pode acontecer? Você vai deixando que ele se torne realidade, porque ele vai perdendo a força.

Mantenho meus sonhos vivos trabalhando, buscando coisas novas para ensinar, fazendo cursos, escrevendo livros novos. Meus sonhos me mantêm vivo.

Quando deixamos nossos sonhos morrerem, nossa vida fica no automático.

Se você lista as coisas que já deram certo em sua vida, vai trazendo força e desejo.

Napoleon Hill falava sobre desejo ardente.

É quando trazemos um sonho de dentro de nós, com muita força, e conseguimos realizar. Mas caso ele esteja dentro de nós apagado, sem muita força, não conseguimos realizar.

Na Bíblia, em Apocalipse, diz assim: "Deus vomitará os mornos", porque não é quente nem frio. É morno.

Se nem Deus quer os mornos, imagine você indo para sua vida de uma maneira morna?

Vejo às vezes os torcedores num ginásio torcendo para seus times.

Se você reparar, todos eles estão torcendo com muita força e fé para que os seus times sejam ganhadores.

Vejo pessoas acampando semanas e mais semanas nas portas de shows para ver seus ídolos, vejo pessoas vibrando e votando para que seu favorito fique em um reality show, mas será que fazemos essa mesma torcida pela nossa vida?

Fazemos esse mesmo esforço por nós mesmos?

Diversas vezes a resposta é "não"!

Quando é para nós mesmos, fazemos um macarrão instantâneo em três minutos, não arrumamos a mesa para comer. Ainda, por dentro, reafirmamos: "Ah! É para mim mesmo", ou "não vou fazer comida só para mim".

Será que se torcêssemos pela nossa vida dessa forma as coisas não seriam diferentes?

Quero que você torça para sua vida.

Quero que use seu desejo ardente para recriar o seu eu do futuro.

Ele está disponível dentro de você.

Todas as decisões são criadoras do nosso eu do futuro.

Lembre-se, este é um livro de descobertas, decisões e ações.

Como um time, tudo precisa funcionar como uma engrenagem, em que cada peça é fundamental. Ou será que um time torce contra si mesmo?

A terceira dica é pensar em coisas boas, em projetos e felicidade.

Se a sua mente for inundada de pensamentos negativos, de fofocas, de melindres, de raiva e de mágoa, você troca automaticamente: passa a pesquisar e ocupar a mente com aquilo que você quer.

Neste momento você está criando um caminho neural novo.

Como assim?

Conforme descoberto pela neurociência, as nossas sinapses cerebrais criam caminhos neurais.

E se paramos ou interrompemos o fluxo de pensamentos negativos e repetitivos, começamos a criar sinapses, e aquele caminho velho deixa de existir.

Um novo mapa toma conta da sua mente.

Quando você abre uma estrada nova, aquela estrada fica ativa.

Os nossos pensamentos negativos devem ficar na estrada velha, que é aquela que não serve de mais nada.

Para criar estradas novas, é preciso abastecer seus pensamentos de positividade e acessar novamente os seus sonhos.

O que fazer para *dar certo?*

Outro dia recebi a seguinte mensagem:

> ...
>
> **Eu e meu marido estamos fazendo o curso Quintessência. Meu marido está saindo para comprar o carro que ele tanto sonha. Mas eu não sei te explicar como me sinto. Eu tenho uma prima que não sei o que vai dizer. Eu não sei o porquê, mas tenho medo de eu estar bem e ela não. Então eu queria saber o que posso fazer para não deixar esses comentários me fazerem mal.**
>
> 13 36 38

Muitos, quando dão certo, têm medo de a família não os reconhecer mais.

A sua família é muito importante pra você.

As pessoas estão acostumadas a falar mal, a reclamar.

É como se a mensagem comum das pessoas que as conecta fosse a reclamação.

E quando você vai linda com seu marido e o carro novo, você pensa “ah, o que minha prima vai pensar de nós?”.

Ela já vai pensando no que o outro vai pensar, e a vibração começa a cair para o medo, para o julgamento, para a escassez.

Quando você faz isso, o campo da prosperidade cai.

E o carro, que é resultado da vibração energética, que estava completamente diferente, cai.

Você estava vibrando.

Mas quando se preocupa com a prima, que está na escassez, na dor, não sai do lugar.

ANOTAÇÕES

Quais downloads você fez a partir deste capítulo?

Quais decisões você toma a partir de agora?

6º Passo

Programação mental do Futuro

Se desejamos alterar o nosso futuro, a mudança deve começar com uma decisão consciente e uma escolha feita no presente.

Imagine que existem inúmeras possibilidades de futuro à sua frente, cada uma com suas próprias circunstâncias, pessoas e oportunidades, variando entre escassez e prosperidade.

Há uma infinidade de futuros disponíveis para você. Qual deles você deseja acessar?

As crenças e atitudes que você sustenta hoje são os determinantes do futuro que você irá experienciar.

Acreditar na lei do livre-arbítrio implica rejeitar a ideia de um destino pré-determinado, reconhecendo que você tem o poder de reescrever sua história.

O começo pode ser desafiador, e a mudança pode não ser imediatamente perceptível, mas, com o tempo e a consistência, o progresso será inevitável.

Compartilhei com você a minha história aos 22 anos para ilustrar que a mudança é um processo, uma jornada pessoal cuja história só eu conheço completamente.

Sei dos desafios que enfrentei, do quanto tive que estudar e das descobertas que precisei fazer para chegar aonde estou hoje.

À medida que mudamos e evoluímos, não apenas transformamos nossa própria realidade, mas também exercemos influência sobre aqueles ao nosso redor.

O universo celebra nosso progresso, pois cada passo à frente é um motivo de alegria.

Imagine a satisfação de subir mais um degrau na escada do desenvolvimento pessoal, e então mais um, continuamente.

Mudar implica em não só transformar a nossa própria realidade, mas também influenciar positivamente as vidas daqueles que nos cercam.

Quando evoluímos, o Universo celebra cada progresso nosso, como se subíssemos mais um degrau em nossa jornada de desenvolvimento pessoal.

Pense na satisfação que cada passo à frente traz, subindo gradualmente, degrau por degrau.

Quando encaramos a escada inteira da transformação, pode parecer desanimador e até mesmo impossível alcançar o topo, dada a sua altura e a distância a ser percorrida.

Você pode se sentir despreparado e questionar a sua capacidade, mas ninguém está pedindo para você chegar ao topo de uma só vez. O convite é para um crescimento constante, mesmo que seja apenas um por cento a cada dia.

Com essa abordagem, você estabelece novos hábitos e padrões de comportamento que, aos poucos, se firmam em sua rotina.

Estudos recentes da neurociência apontam que o tempo necessário para formar um novo hábito pode variar significativamente de pessoa para pessoa.

O tempo necessário para formar um novo hábito pode variar consideravelmente de pessoa para pessoa e também depende da complexidade do hábito em questão.

O número de dias que costuma ser citado, como 21 dias, 30 dias ou até 66 dias, é frequentemente referido como uma estimativa aproximada, mas a pesquisa mostra que não existe uma regra rígida para a formação de hábitos.

Criando uma metáfora, a gente não joga um hábito pela janela e se livra dele. Um hábito desnecessário a gente vai rolando escada abaixo, degrau por degrau, até que ele não exista mais.

A variação na duração do processo de formação de hábitos novos pode ser influenciada por diversas coisas, e isso vai depender também da sua dedicação.

Posso dizer que, se você está, sim, empenhado em viver sua Prosperidade Suprema, vai buscar criar hábitos novos nos campos que necessita para se harmonizar. E está tudo bem. Sem pressa e sem comparação.

Alguns pontos são bem importantes de observar e contam muito nesse momento:

Complexidade do hábito:

Hábitos mais simples, como beber um copo de água a mais ou manter uma garrafa em cima da mesa para beber aos poucos, tendem a se formar mais rapidamente do que hábitos complexos, como exercitar-se regularmente.

Motivação e comprometimento:

Hábitos mais simples, como beber um copo de água a mais ou manter uma garrafa em cima da mesa para beber aos poucos, tendem a se formar mais rapidamente do que hábitos complexos, como exercitar-se regularmente.

Frequência da prática:

A repetição consistente é fundamental para a formação de um hábito. Tem horas que há uma vontade gigante de desistir, mas é nesse momento que devemos nos esforçar mais. Porque é um comprometimento com nossa programação interna em jogo.

Quanto mais frequentemente você realiza uma ação associada ao hábito desejado, mais rápido ele tende a se solidificar.

Contexto e ambiente:

o ambiente em que você se encontra e as situações em que pratica o novo comportamento também desempenham um papel importante na formação de hábitos. Já falamos sobre isto, mas não me custa lembrar-lhe: fuja de ambientes que só falam de escassez e só vibram na falta. Ambientes recheados de fofoca e maledicência são ambientes contrários à Prosperidade Suprema.

O ambiente e o contexto do ambiente fazem você viver de forma diferente. Não sei se já leu meu livro Autoestima Blindada, mas nele falo de uma tese muito interessante chamada teoria das janelas quebradas. Vale muito a pena continuar seus estudos nesse assunto, caso esse seja seu maior desafio.

Portanto, embora seja útil ter uma estimativa aproximada do tempo necessário para formar um hábito, é importante lembrar que não há uma regra única que se aplique a todos.

O mais importante é manter a consistência, a motivação e o comprometimento ao trabalhar na criação de novos hábitos e estar preparado para ajustar suas estratégias, se necessário, com base em sua própria experiência.

Olhando para essa variação, você pode se sentir desanimado, pensando que talvez demore quase um ano para mudar. Mas o desafio é enfrentar um dia de cada vez.

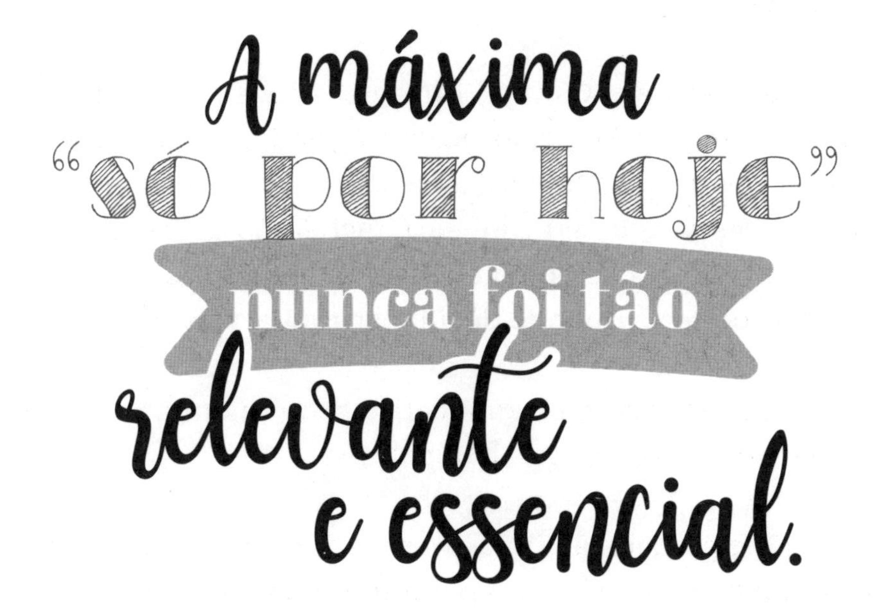

Contudo, para manter-se firme nessa jornada, é crucial ter ao seu lado pessoas que o apoiam e acreditam em seu potencial.

Por outro lado, é inevitável que, em alguns momentos, nos deparemos com ambientes e pessoas tóxicas, que duvidam do nosso potencial e tentam nos desmotivar.

Nessas situações, ter mentores e guias se torna ainda mais essencial.

Desenvolvi um trabalho profundo e significativo intitulado "Destrave o seu Dinheiro", que já ajudou centenas de pessoas.

Só nesta semana, em que escrevo este livro a você, fui abordado em uma palestra que fui ministrar, por um senhor que, com cabelos e bigode brancos, me disse algo marcante.

Ele disse assim: "Ganhei duzentos paus". Perguntei: "Duzentos reais?". Ele: "Não, duzentos mil! Fiz o seu curso, e agora?". Perguntei: "Qual, o Quintessência?". Ele respondeu: "Não, o Destrave o seu Dinheiro". Achei tão singelo, pois mostrou que a busca pelo conhecimento não tem idade nem tempo certo quando decidimos mudar nossa vida.

Esse encontro rápido e significativo ocorreu enquanto eu estava prestes a começar uma palestra.

No meio da preparação, uma jovem se aproximou de mim e, de forma bem-humorada, apontou um problema técnico, perguntando se eu havia batido a mão no microfone, pois estava chiando.

Depois de ajustar o equipamento, continuei meu preparo

e fui novamente abordado. A moça, entusiasmada, compartilhou sua experiência com o curso “Destrave o seu Dinheiro”, revelando como ele a ajudou a adquirir seu próprio apartamento.

Esses dois testemunhos ocorreram na mesma semana, e ambos destacam o impacto positivo do programa "Destrave o seu Dinheiro".

Quando preparo um evento, e me preparo para interagir com o público, sempre algo incrível acontece assim que piso no palco.

Às vezes, acabo não seguindo o que estava programado e falo sobre algo completamente diferente, algo que o grupo ou alguém específico precisava ouvir. Parece que eu capto um campo de energia e a informação simplesmente vem.

Uma experiência curiosa que tive foi durante uma palestra em Palmas, Tocantins. Fui contratado para falar sobre um tema específico relacionado a tecnologia e educação, e como isso estava afetando os jovens. Cheguei lá, preparei todo o material, iniciei a palestra, mas, de repente, comecei a falar sobre suicídio.

Tentava voltar ao tema da tecnologia, mas sempre retornava ao assunto suicídio. No final, percebi que os organizadores ficaram frustrados, e eu também, pois tinha me preparado tanto para falar sobre o tema original.

Passei o dia questionando-me sobre o ocorrido. No avião de volta, sentado, peguei uma revista na poltrona à minha frente e comecei a ler.

Em uma das matérias, descobri que, naquela época, Palmas tinha o maior índice de suicídios do Brasil. Isso aconteceu há muitos anos, mas me marcou profundamente.

Realmente, a energia do grupo é algo muito poderoso e influente.

Estou dizendo isso para que você saiba que a nossa mente funciona como um vasto jardim.

A mente subconsciente representa esse jardim, repleto de terra fértil e pronto para receber sementes.

É a mente consciente que escolhe essas sementes, lançando-as em direção ao subconsciente, onde elas são armazenadas.

Importante destacar que o subconsciente está programado para concordar, para dizer "sim". Isso se dá porque o Universo, de forma inerente, responde afirmativamente.

Portanto, se eu verbalizo um pensamento negativo, como "ganhar dinheiro é extremamente difícil", o meu subconsciente acolhe essa "semente" em seu solo fértil e concorda: "sim, isso é verdade".

Dessa forma, passo a carregar essa crença comigo, atraindo situações que a confirmam. Vocês notarão que, quando abrigamos tais crenças em nosso subconsciente, começamos a atrair pessoas que compartilham desses mesmos pensamentos. Nos alinhamos com elas.

Por exemplo, quando inicio a escritura de um livro e mergulho em pesquisas sobre determinado assunto, as pessoas começam a me falar sobre esse tema, recebo vídeos relacionados, assisto a filmes que o abordam – tudo parece se conectar.

Isso acontece porque entramos em sintonia com o que emitimos, e o Universo nos devolve mais do mesmo.

O Universo sempre diz "sim", mas é preciso atenção para não pedirmos a partir de uma vibração de escassez.

É aqui que a prática da gratidão se faz essencial, pois ela nos permite mudar e emitir uma nova vibração. Aqueles que já fizeram meu curso Quintessência sabem que falo sobre "assinatura energética", que é a energia que nos envolve.

Para criar uma programação mental positiva em direção ao futuro desejado (dentre os vários futuros possíveis), é necessário reprogramar a mente.

Quando saímos de um relacionamento machucados, seja por traição, engano ou qualquer outra situação que tenha provocado algum prejuízo, criamos uma crença pessoal – distinta das crenças hereditárias, que são transmitidas de geração para geração.

A crença pessoal é fruto das nossas próprias experiências. Então, é comum ver alguém que saiu de um relacionamento ruim generalizar, dizendo "Todos os homens (ou mulheres) são iguais".

Da mesma forma, quem teve uma experiência negativa no mundo dos negócios pode acabar acreditando que "o comércio não funciona" ou que "empreender é muito arriscado".

Essas são crenças pessoais, nascidas das experiências vividas, e, muitas vezes, elas se tornam verdadeiros traumas, influenciando nossas ações e perspectivas futuras.

Elas representam machucados não cicatrizados que, a cada pensamento positivo, reagem dizendo: "Ah, não, imagina, isso aqui não vai dar certo".

Nesse instante, inadvertidamente invalidamos nossa própria positividade, porque duvidamos. E assim que a dúvida se instala, pronto.

Se você está em um caminho de prosperidade, convicto de que tudo dará certo e fluirá bem, e de repente se pega em meio a uma maré de pensamentos positivos, mas então questiona "Será mesmo que isso vai funcionar?", você acaba de minar sua própria confiança.

Isso porque a dúvida carrega consigo a energia da falta, do medo e da escassez.

Por isso, acreditar é essencial. Mas não se trata de uma crença ingênua; é preciso acreditar de forma pragmática, estabelecendo metas e se preparando adequadamente.

Caso contrário, permitiremos que nossas crenças pessoais e hereditárias obstruam nosso caminho rumo à positividade. Além desses dois tipos de crença, existe um terceiro: as crenças sociais, que são influenciadas pelo contexto cultural e social em que vivemos.

No Brasil, por exemplo, há o estereótipo do "jeitinho brasileiro". Constantemente ouvimos críticas sobre a política, com frases como "todo político é corrupto" ou "as coisas estão difíceis". São críticas sociais persistentes.

Se você decidir esperar que o país mude, ou que suas crenças pessoais e hereditárias se dissipem antes de agir, passará a vida toda estagnado.

E, ao olhar para trás, sentirá arrependimento, em vez de orgulho.

Porque, como disse o poeta, "O caminho se faz caminhando". É andando que construímos nosso percurso, aprendemos, reprogramamos nossas mentes e, finalmente, reconhecemos: "Espera aí, essa crença ou esse pensamento que acabei adotando não me pertencem". Podem ter vindo de experiências passadas, ou de relacionamentos ruins.

E é nosso dever perguntar: "O que posso aprender com isso para não repetir os mesmos erros?".

Tudo é uma oportunidade de aprendizado, uma chance de crescer e se fortalecer, o que é bem diferente da mentalidade de vítima, que se sente impotente diante das circunstâncias.

A pessoa que vive no papel de vítima passará sua existência culpando o mundo, dizendo coisas como "fui enganado", "fui roubado", sempre atribuindo a responsabilidade a fatores externos.

Entretanto, o aprendiz tem uma postura diferente. Ele se pergunta: "O que posso extrair de aprendizado desta situação?".

Dessa forma, começamos a moldar nossa mente de maneira distinta. Então, peço que agora você feche os olhos gentilmente, respire profundamente, e vamos nos conectar com o nosso eu do futuro.

Respire fundo e expire devagar.

Relaxe os ombros, aproveite este momento para estar aqui, totalmente presente.

Consciente de que existem inúmeras possibilidades de futuro disponíveis para nós, vamos começar a acessar a versão de você mesmo no futuro.

Pense nas grandes oportunidades que estão à sua espera.

Lembre-se de que tudo o que você viveu e experimentou até aqui é seu, é parte de você, e ninguém pode lhe tirar isso.

Imagine-se vendo a criança que você foi, com seu brinquedo favorito, no lugar de que mais gostava.

Respire profundamente, e talvez você consiga até mesmo sentir o aroma daquele lugar, sentir a felicidade daquele momento, com seu brinquedo favorito, no seu lugar de paz.

Você se conecta com a criança que foi um dia.

Imagino que, dentro desse espaço em que você está agora, deve ser intrigante se reconectar com essa versão infantil de si mesmo, protegida e em paz.

Existem momentos bons em sua vida, não é mesmo? E agora, você, na sua versão adulta, vai entrar nesse espaço e se aproximar dessa criança.

Veja-se do jeito que está agora, com as roupas que está usando, e caminhe em direção àquela criança. Observe as paredes do lugar, perceba os detalhes à sua volta enquanto você, como adulto, se aproxima.

Olhe nos olhos da criança que você foi e se permita sentir o impulso de abraçá-la. Diga a ela: "Está tudo bem, está tudo bem na nossa vida adulta e eu vim aqui agora para te tranquilizar".

Ao abraçar essa criança, ela se sente protegida, acolhida e em paz. E essa criança, de uma maneira muito simples e genuína, como só as crianças sabem ser, também o perdoa. Vocês se perdoam mutuamente.

A partir de agora, está tudo bem entre vocês. Respire fundo novamente, sinta essa conexão e essa paz interior.

A criança agora permanece em seu próprio espaço, seguro e sereno, enquanto suas memórias de infância ficam alocadas no local adequado.

Eu o convido a explorar esse momento: como é o ambiente em que você se encontra? O que está acontecendo com a sua versão futura? Quais são seus desejos mais sinceros para esse instante específico?

Respire profundamente, absorva essa energia positiva e reconfortante que o futuro reserva para você, um futuro próspero e cheio de realização.

Agora, reflita: quando foi que você tomou consciência de que desejava alcançar esse objetivo específico?

Olhando para cima, do lado direito, lá está a sua meta. Quando você percebeu que era isso que queria para a sua vida? Como você alinhou seu futuro para atingir esse objetivo?

Eu o convido a observar ao seu redor, no presente, e identificar o que precisa ser feito agora para alcançar a meta do seu futuro.

As informações de que você precisa estão disponíveis para você.

Há algo que ameaça a sua posição futura?
Respire profundamente, esteja atento.

Perceba como você se sente mais leve agora, como se um peso tivesse sido tirado dos seus ombros.

Visitar o passado pode ser um processo desafiador, mas muitas vezes se mostra essencial para o nosso crescimento e compreensão de nós mesmos.

Estabelecer metas é crucial, pois sem elas nossos sonhos permanecem meramente como ideias vagas e intangíveis.

Agora, sinta-se à vontade para acender as luzes, se assim desejar.

Ao definir uma meta, você estabelece um destino a ser alcançado, um caminho a ser trilhado.

Durante nossa jornada juntos, fiz cinco perguntas cruciais para ajudá-lo nesse processo.

Perguntei sobre o que está acontecendo agora em sua vida e sobre o que você realmente deseja alcançar no futuro.

Indaguei sobre o momento exato em que você se conscientizou de suas metas, o momento em que decidiu vestir-se de seus sonhos e objetivos.

Afinal, nos "vestimos" de nossas aspirações, não é verdade?

Portanto, questionei: quando foi que isso aconteceu? Foi um conselho de alguém, uma cena de filme, ou algo que você leu em uma revista que despertou esse desejo em você?

Quando você se deu conta de que desejava, por exemplo, morar na praia ou criar uma empresa específica?

Além disso, abordei a questão crucial sobre o que é necessário fazer no presente para atingir as metas futuras, e perguntei sobre possíveis ameaças que poderiam impedir o alcance desses objetivos.

Quando temos uma meta, um desejo ardente, precisamos trabalhar para tornar esse desejo o mais claro e definido possível.

Isso é essencial porque, quando enviamos uma mensagem clara ao Universo, ele responde à altura.

Imaginem o Universo de um lado e nós do outro; se a nossa mensagem for vaga ou indecisa, de pouco adiantará.

Assim, ao trabalharmos para cristalizar nossos desejos e metas, damos um passo crucial em direção à realização dos nossos sonhos e objetivos de vida.

Quando eu trabalhava em consultório e recebia pessoas que chegavam queixando-se da vida, do marido, da casa, do salário ou do trabalho, eu fazia sempre a mesma pergunta: "O que você deseja ao invés disso tudo? O que você não quer mais na sua vida?".

E para minha surpresa, a esmagadora maioria, cerca de 92% das pessoas, não sabia responder o que realmente queria.

Suas mentes estavam tão saturadas com as coisas que desejavam eliminar de suas vidas que haviam perdido a clareza sobre o que realmente queriam alcançar.

Portanto, é crucial termos clareza sobre nossos desejos e sonhos.

> *Imagine se Deus olhasse para você agora e dissesse: "Vou realizar o seu sonho". E aí, ao olhar para você, percebesse que você está incerto sobre seu próprio sonho, sentindo vergonha dele.*

Pode ser que você pense: "Eu quero, mas será que eu quero mesmo? E o que as pessoas vão pensar se eu conseguir?".

Esse tipo de dúvida e vergonha pode anular seus sonhos.

É preciso ter clareza e não sentir vergonha dos próprios sonhos. Não se trata de buscar aprovação alheia, pois isso é algo totalmente diferente.

Às vezes, as pessoas compartilham seus sonhos com familiares ou amigos e escutam críticas do tipo "Isso é bobagem, dá muito trabalho, não dá dinheiro, não vale a pena, eu conheço alguém que tentou e só teve prejuízo...".

É crucial estar cercado de pessoas prósperas, que pensam em prosperidade e vibram na mesma sintonia que você, para que você possa trocar ideias e ser apoiado em seus sonhos e metas.

O que significa ter um desejo ardente? Além de ter uma meta definida, é preciso ter um desejo ardente de alcançá-la.

Desejar algo é comum, muitas pessoas desejam muitas coisas. Mas como o Universo manifesta esse desejo para mim? Como o Universo cristaliza esse desejo para que ele se torne realidade?

Tudo é criado inicialmente no plano invisível antes de se tornar visível e palpável.

Abundância é um sentimento, enquanto prosperidade é algo que podemos tocar.

Esta sala, este palco, esta mesa, um livro, uma caneca – tudo foi criado inicialmente no plano invisível antes de se tornar uma realidade concreta.

Então, alguém com uma mentalidade de abundância pensou nisso, sonhou com isso. Imagine quando Napoleon

Hill entrevistou Henry Ford, Graham Bell e tantas outras mentes brilhantes.

Ele compreendeu a importância de ter um desejo ardente. Portanto, quando você falar sobre sua meta, precisa expressar um desejo ardente. Se eu perguntasse agora "Você está pronto para realizar seu sonho agora?", e você hesitasse, dizendo "Ah, não agora. Vou esperar até o final do próximo ano", isso mostraria falta de desejo ardente.

Ter clareza e paixão pelos seus sonhos é essencial para torná-los realidade.

Chega um momento em que é necessário mudar a abordagem.

Recordo-me de uma mulher que frequentava meu consultório toda semana, trazendo uma torrente de reclamações.

Sempre se queixava de seu marido, descrevendo-o como uma pessoa irritante e problemática.

Ela vinha semanalmente, e, como terapeuta, aprendi a não julgar e a ouvi-la pacientemente, oferecendo orientações para que ela pudesse resolver a situação.

No entanto, ela sempre retornava, retomando as reclamações sobre o marido.

Certo dia, decidi confrontá-la de maneira direta, apontando que talvez ela fosse parte do problema. Inicialmente, pensei que talvez ela não voltasse mais ao consultório após esse comentário, mas, para minha surpresa, ela retornou na semana seguinte.

Então, propus um experimento diferente: sugeri realizar uma sessão de hipnose para fazê-la esquecer o marido e não o amar mais, questionando se ela estaria disposta a encerrar tudo ao chegar em casa. Sua resposta imediata e enfática foi: "Não, Deus me livre!".

Esse momento foi um divisor de águas no tratamento, pois revelou que o problema não era realmente o marido, mas questões mais profundas que ela precisava enfrentar.

Muitas vezes, nos fixamos em problemas superficiais quando, na verdade, existem questões mais complexas e profundas por trás dessas reclamações aparentemente simples.

Portanto, é fundamental definir nossas metas com clareza e sem vergonha, garantindo que sejamos verdadeiros conosco mesmos.

Se realmente desejamos algo, precisamos expressar esse desejo com autenticidade, sem falar apenas para agradar os outros.

Vamos agora realizar um exercício de cristalização do desejo.

Pense em uma meta, e essa meta precisa ser extremamente clara.

Imagine que o Universo está observando você agora, captando suas ondas eletromagnéticas.

Seu desejo precisa ser emitido com clareza para ser recebido e cristalizado de volta para você.

Seja detalhista em relação à sua meta.

Por exemplo, se está pensando em um parceiro romântico, defina exatamente como você deseja que essa pessoa seja em todos os aspectos: altura, constituição física, personalidade, gostos pessoais etc.

É importante ser específico e detalhado, para que seu desejo seja claro e preciso.

Agora que você já tem uma meta estabelecida, vamos prosseguir com o exercício.

Alcançar um estado de saúde plena, tanto no corpo quanto na mente, no espírito e no emocional, é uma meta válida e possível. Pode ser em qualquer área da vida, conforme os campos que já exploramos.

Pode ser uma meta financeira, emocional ou até mesmo de saúde.

Geralmente, quando falamos de metas e desejos, tendemos a pensar em aspectos físicos, mas, como mencionado, pode ser algo relacionado à saúde também.

Agora você vai escolher alguém próximo a você que torce

muito por você. A pessoa que mais vibra por você.

Defina bem esse objetivo e diga a ela como se ela fosse o "Universo", para ver se realmente seu objetivo está claro.

O que você vai fazer é virar-se para esse alguém e expressar sua meta para o Universo.

Agora, preste atenção.

Você falou a sua meta para o "Universo", que simplesmente ouviu e disse sim.

Na próxima etapa, você vai pedir a essa pessoa para ser o conselheiro do Universo.

Peça para essa pessoa aconselhá-lo sobre se a meta está clara, se faltou entender algum detalhe.

Lembre-se, não é para julgar se é possível ou não, é simplesmente para dizer se a meta é clara.

Vamos supor que a pessoa deseja abrir uma pizzaria.

Você, como Universo-conselheiro, vai perguntar: "Você deseja uma pizzaria apenas para entregas ou quer um espaço com mesas para as pessoas comerem no local?".

Você vai explorar um pouco mais a meta do outro para garantir que todos os detalhes estejam claros.

Perceba como a dinâmica muda quando compartilhamos nossos desejos profundos com outra pessoa.

A razão pela qual sugeri que falasse com alguém desconhecido é que, assim, evitamos julgamentos prévios.

Quando nos abrimos com pessoas que nos conhecem, muitas vezes já existe uma camada de pré-julgamento, e a tendência é que nos expressemos de maneira diferente, podendo até mesmo sermos desencorajados: "Ah, você não vai conseguir fazer isso".

Contudo, ao compartilharmos nossos anseios com um estranho, falamos mais livremente.

E então, temos o Universo diante de nós.

Posteriormente, esse "Universo" começa a nos questionar, devolvendo nossos desejos na forma de perguntas, ajudando-nos a refletir.

Como não posso estar ao seu lado agora, como sempre estou nos cursos presenciais (acesse www.williamsanches.com e saiba mais), vou deixar 13 perguntas para garantir que você vai trabalhar com clareza e objetividade sua meta.

01.

Por que essa meta é **IMPORTANTE** para mim?

02.

Como essa meta se alinha com meus **VALORES** e princípios pessoais?

03.

O que eu espero **ALCANÇAR** ao atingir essa meta?

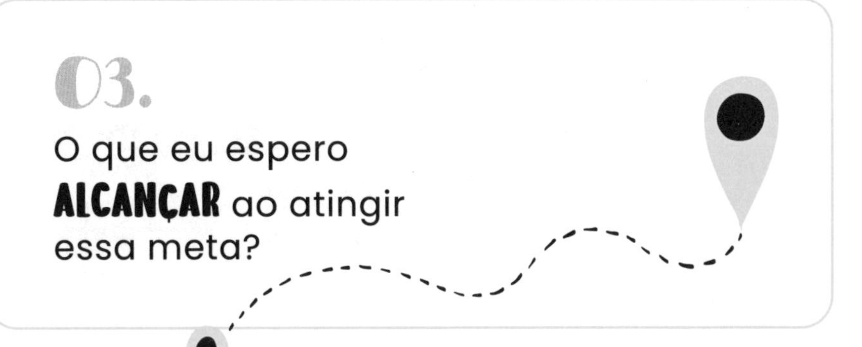

04.

Como essa meta se encaixa em meus objetivos **DE LONGO PRAZO?**

05.

Quais são os **PASSOS** específicos que preciso seguir para alcançar essa meta?

06.

Quais **RECURSOS, HABILIDADES OU CONHECIMENTOS** adicionais preciso adquirir para atingir essa meta?

07.

Qúais **OBSTACULOS OU DESAFIOS** podem surgir no caminho e como posso superá-los?

08.

Quem pode **ME APOIAR** na busca por essa meta? Como posso buscar apoio?

09.

Qual é o **PRAZO** que estabeleci para alcançar essa meta? É realista?

10.

Como vou medir meu **PROGRESSO** em direção a essa meta?

11.

Existem **ALTERNATIVAS OU AJUSTES** que eu deveria considerar em relação a essa meta?

12.

Como me **SENTIREI** quando alcançar essa meta?

13.

Como isso afetará minha **VIDA** e meu **BEM-ESTAR?**

Na nossa rotina diária, o Universo também opera de forma similar. Ele nos envia sinais constantemente.

Às vezes, atraímos situações ou pessoas que não são exatamente o que desejávamos.

É nesse momento que devemos parar e refletir: "Espere um minuto, talvez eu esteja enviando as energias erradas, pensando ou desejando de maneira equivocada".

Se algo não está indo conforme o planejado, talvez nossas crenças e pensamentos estejam nos conduzindo para a direção errada.

É essencial trabalharmos com clareza constante, focando em cristalizar nossos desejos, a fim de moldar nosso futuro conforme nossas aspirações.

Esse processo de cristalização dos desejos nos permite programar nossas vidas para o futuro, garantindo que estejamos no caminho certo para alcançar nossos objetivos e sonhos.

A verdadeira prosperidade suprema transcende o físico, abrangendo corpo, mente e espírito.

O que praticamos aqui foi o desenvolvimento de um foco visionário, uma ferramenta poderosa que nos proporciona uma visão clara e concreta dos nossos objetivos.

Ter foco não significa dizer "sim" para tudo; na verdade, é crucial aprender a dizer "não" a inúmeras distrações e solicitações de outras pessoas.

Então, reforçando: um foco visionário não se trata de aceitar tudo, e sim de recusar muitas coisas para manter-se no caminho certo.

Para estar lendo este livro agora, certamente você teve de recusar várias outras opções e, em alguns casos, até mesmo dizer "não" para pessoas queridas.

O maior desafio *está em dizer* NÃO!

Você já se pegou dizendo frases como "não consigo economizar dinheiro", "meu salário é muito baixo", "o cartão de crédito é uma armadilha", "dinheiro simplesmente desaparece todo mês" ou "por que outras pessoas têm dinheiro e eu não?".

Essas são crenças limitantes comuns que refletem uma mentalidade voltada para a escassez.

Agora, peço que respire fundo, olhe para dentro de si e complete a seguinte frase: "Meu maior medo em relação ao dinheiro é...".

Permita-se sentir e ver o que emerge, pois podem surgir respostas e percepções que anteriormente estavam ocultas.

Pode ser que algumas das frases que mencionei antes ressoem com você: "Não consigo economizar", "não consigo guardar dinheiro", "o dinheiro nunca é suficiente para mim".

Pergunto agora: qual é a história que você está contando a si mesmo? Lembre-se dos antigos cinemas com rolos de filme que precisavam ser rodados manualmente.

Qual é o "filme" que está passando na tela da sua mente? Se as frases que mencionei refletem os seus pensamentos, talvez seja hora de mudar o "roteiro" e começar a contar uma história diferente sobre sua relação com o dinheiro.

Você irá responder à pergunta: "Meu maior medo em relação ao dinheiro é...".

Observe o que surge e então vamos trabalhar juntos para reprogramar suas crenças. Vamos começar pela frase: "Não consigo economizar em nada". Vamos transformá-la em: "Eu sou plenamente capaz de guardar dinheiro".

Mas não vamos apenas repetir essa afirmação; vamos realmente senti-la, pois a verdadeira transformação acontece no nível da vibração. Um dos nossos grandes erros é acreditar que somos limitados aos nossos corpos físicos, quando na verdade somos seres de energia.

Quando você diz "Não consigo economizar em nada", essa crença está enraizada em você. Vamos transformá-la dizendo: "Eu sou plenamente capaz de guardar dinheiro".

Quando falarmos essa frase, vamos fazê-lo com sentimento.

Eu serei sua voz interior, desafiando suas crenças limitantes.

Quando eu afirmar nas próximas frases a crença limitante,

você responderá em voz alta com a crença transformada.

Vamos lá:

Eu digo: *"Não consigo economizar em nada"*.
Você responde: *"Eu sou plenamente capaz de guardar dinheiro"*.

Eu digo: *"Meu salário é muito baixo"*.
Você responde: *"Minha renda está em constante crescimento e abundância"*.

Observe seu corpo, sua postura. Endireite as costas, respire fundo. Não se feche ao falar de dinheiro; abra-se para a prosperidade.

Eu digo: *"Meu cartão de crédito é uma armadilha"*.
Você responde: "*A cada dia, eu aprendo a organizar minhas finanças e a viver em paz financeira"*.

Eu digo: *"O dinheiro desaparece todo mês pelo ralo"*.
Você responde: *"Eu uso minha inteligência para gerenciar meu dinheiro sabiamente. Meu dinheiro se multiplica sempre"*.

Eu digo: *"Tudo é muito caro"*.
Você responde: *"Eu reconheço o valor das coisas, mas escolho focar na abundância e na gratidão"*.

Não caia na armadilha de murchar quando o assunto é dinheiro.

Lembre-se de que suas palavras têm poder.

Abençoe o dinheiro que você gasta e recebe, e veja como a energia em torno de suas finanças começa a mudar.

É essencial mudar do paradigma da escassez para o da abundância.

"Ai, eu preciso cozinhar novamente." O que estou dizendo?

Que estou irritado com a comida, com o fogão, com o gás.

E lá se vai o gás mais uma vez, claro.

Parece que estou repelindo até as moléculas da cozinha! "Tudo é tão caro!"

Quando você se pegar pensando ou falando algo assim, quero que substitua por: "Eu sempre tenho tudo de que preciso, nunca me falta nada".

Sinta essa verdade.

Nada vai faltar para você.

O Universo é
ABUNDANTEMENTE
recheado de
RECURSOS,
assim como o
seu corpo e a
sua mente.

Às vezes, os recursos de que você precisa já estão bem debaixo do seu nariz, você só precisa percebê-los.

Você nunca ficará sem nada, porque você tem recursos – o Universo tem recursos, a sua vida, o seu corpo e a sua mente têm recursos – para que possa viver sempre em suprema prosperidade.

Mas, enquanto você estiver preso em frases negativas, como "tudo é muito caro", "nada serve para mim", "meu dinheiro vai pelo ralo todo mês", "meu cartão de crédito é uma armadilha", "meu salário é muito baixo", "não consigo economizar nada", estará vivendo um círculo vicioso de escassez.

Pergunto novamente: que história você está contando para si mesmo? Está contando a história da escassez ou da abundância?

Porque eu, como sua voz interior, estou aqui para lhe dizer: olhe para a sua vida e abençoe-a.

Seu dinheiro é uma benção. Ele proporciona coisas boas para você.

No seu passado, muitas despesas foram feitas para garantir seu bem-estar: fraldas, remédios, mamadeira, um berço, consultas médicas e medicamentos.

Diversas pessoas investiram recursos em você. Você já foi convidado para jantares, ganhou almoços, roupas, presentes e perfumes.

Portanto, por que demonizar o dinheiro, se ele também trouxe coisas boas para sua vida?

Substitua o pensamento "nunca consigo pagar minhas contas" por uma frase positiva e afirmativa.

Dê-se permissão para prosperar!

Me dou permissão para prosperar.
Me dou permissão para prosperar.
Não tenho medo da prosperidade.

Agora, falando sobre dificuldades em relacionamentos, muitas pessoas carregam medos e inseguranças.

Vou dar dois exemplos de campos aqui para você poder aplicar no campo que precisa harmonizar em sua vida.

Vou abordar aqui dinheiro e relacionamento.

Nos relacionamentos, é comum repetir afirmações como "Tenho medo de ser rejeitado", "O amor nunca dá certo para mim", "Não gosto de me sentir preso", "Preciso fazer tudo do jeito que os outros querem", "Nunca posso ser eu mesmo", "Não sei amar", "Vou me magoar, com certeza".

Respire fundo. Agora vou lhe fazer uma pergunta: "Meu maior medo em relacionamentos é...?". E lembre-se, isso não se aplica apenas a quem está solteiro. Muitas pessoas em relacionamentos também estão sofrendo. Vamos juntos trabalhar para transformar esses medos e inseguranças.

É realmente desafiador quando nos encontramos em um relacionamento e estamos sofrendo.

Por isso, é fundamental fazer perguntas introspectivas, como "Qual é o meu maior medo em relação a relacionamentos?".

Essa reflexão pode ser realizada diariamente, seja antes de dormir, ao acordar ou em qualquer momento que julgar necessário, para iluminar seu entendimento sobre o que se passa em seu interior.

Vamos nos aprofundar em um exercício de reprogramação:

"Tenho medo de ser rejeitado": ao invés de se prender a esse medo, tente se dizer "Eu sou amado e me aceito exatamente como sou". Sinta o alívio e a paz que essa afirmação pode trazer, cultivando o amor-próprio.

"O amor nunca é verdadeiro para mim": quando começar a se relacionar com alguém, e essa insegurança surgir, substitua o pensamento por "O amor é verdadeiro e está presente em minha vida". Mantenha esse pensamento mesmo se estiver em um relacionamento e surgirem dúvidas sobre a fidelidade do parceiro. Acredite no poder curativo do amor.

"Não gosto de me sentir preso. Essa prisão de relacionamento não é para mim": transforme esse sentimento em "Quando estou amando, me sinto livre". Pode ser que haja resistência interna a essa afirmação, mas é importante persistir e treinar sua mente para adotar esse novo padrão de pensamento.

"Tenho que fazer tudo do jeito que os outros querem": mude

para "Eu respeito a minha essência e vivo de acordo com os meus valores".

"Nunca posso ser eu mesmo": afirme para si mesmo "Eu sou autêntico e vivo a minha verdade".

"Não sei amar": creia que "Eu sou capaz de amar e ser amado".

"Vou me magoar com certeza": transforme esse medo em "Estou aberto para o amor e para experiências positivas nos meus relacionamentos".

Lembre-se, reprogramar a mente é um processo e requer prática constante.

Continue treinando essas afirmações positivas até que se tornem uma segunda natureza.

E agora, refletindo sobre o poder das afirmações positivas, questione-se: "Essas frases positivas realmente ressoam comigo no momento? Estão alinhadas com o que eu preciso?".

É essencial observar como você se sente em relação a elas, pois às vezes a sua mente pode estar resistindo e até mesmo sabotando o seu progresso.

Quando se deparar com pensamentos negativos, tente reformulá-los.

Por exemplo, se você pensa que suas amizades são sempre

problemáticas, ou que você sempre atrai pessoas que querem tirar vantagem de você, mude esse padrão.

Comece a afirmar para si mesmo: "Eu atraio amizades positivas e benéficas. Eu sou cercado por pessoas que me apoiam e me ajudam a prosperar".

Pegue os aspectos da sua vida que estão sendo um desafio, que estão doendo, e trabalhe neles.

Escreva sobre eles, reescreva os pensamentos e sentimentos negativos, transformando-os em afirmações positivas.

Esse é um trabalho árduo, mas necessário, para reprogramar sua mente e criar hábitos prósperos.

Antes de continuar, quero lhe dizer: parabéns por vir até aqui! Muitas pessoas desistem pelo caminho, principalmente em seus caminhos de desenvolvimento pessoal.

Diga a si mesmo: parabéns! Valorize-se! Você se trouxe até aqui.

Você já parou pra pensar que pode ter a mente de um crítico, estar sofrendo por isso e nem mesmo perceber? Uma mente crítica é uma pessoa que está sempre em sofrimento. Porque ela sofre e faz as outras pessoas sofrerem.

Pergunte a si mesmo: será que a minha mente é de um crítico ou crítica excessiva que está atrapalhando até mesmo minha prosperidade?

Imagine você que existe um jeito de pensar que pode mudar a sua vida. A boa notícia é que você tem o tempo todo para mudar.

Você pode ser uma pessoa que está sempre procurando defeitos. Vamos supor que essa pessoa está sendo presenteada com um banquete lindo e bem preparado, mas tem a mente crítica e é daquelas que põem defeito em tudo. Essa pessoa sempre vai procurar um defeito. Vai criticar a comida, que está sem sal, o arroz empapado, a sobremesa muito doce, o espumante que não está gelado. De um modo geral, essa pessoa não consegue aproveitar ou ver alguma coisa boa naquele momento.

Veja se a sua mente não é a mente de um crítico que está sempre procurando defeitos.

Você está ali vendo um filme maravilhoso, mas fala assim: “Mas esse filme é muito comprido”. Você está sempre criticando algo e dizendo como poderia ser.

Tenho certeza de que você pode até estar criticando este livro.
E aí cabe a nós, no mundo, respeitar o outro como ele é.

E ser como conseguimos ser.

E está tudo bem.

Olhe quantos problemas seriam evitados de brigas.

Vemos muitas guerras no mundo, mas quantas não estão acontecendo neste momento na cabeça das pessoas? Quantas guerras não acontecem dentro de famílias, de empresas?

Não nos damos conta de que a mente do crítico vai muito além disso.

Ela se compara constantemente com as outras pessoas.

Para saber se somos bons o suficiente, estamos sempre nos comparando.

A mente crítica destrói a gente.

A prosperidade, a capacidade de criar, de amar.

O seu jeito é o jeito certo.
Eu me amo e está tudo bem.

A mente de um crítico estabelece padrões extremamente elevados.

O nível dele é muito alto, e para que considere uma festa legal, a régua dele é muito elevada.

Ou seja: nunca está bom o suficiente.

A mente de um crítico tem a tendência de sempre esperar o pior. Ver as falhas e o lado negativo das situações.

Então pode acontecer, numa viagem, que ele está sempre esperando pelo pior.

Você imaginou que a mente do crítico ia além daquilo que você pensou que era?

Cada crítica que essa pessoa coloca dentro dessa mochila mental é como um paralelepípedo. E isso vai atrapalhando-a para ser melhor, mais leve e com paz. Que é a prosperidade suprema de que tenho tanto falado.

A mente de um crítico sempre se coloca pra baixo de um jeito tão ruim e tão autossabotador que ele nunca tem a capacidade de se elogiar.

E quando alguém elogia, ele traz os defeitos.

A mente de um crítico nunca dá o devido valor até às coisas que ele fez. Então, a mente crítica sofre.

Ela limpa a casa, mas acha que não está bom o suficiente se alguém elogiar. O que o crítico não percebe é que está com a mente sempre programada para escassez.

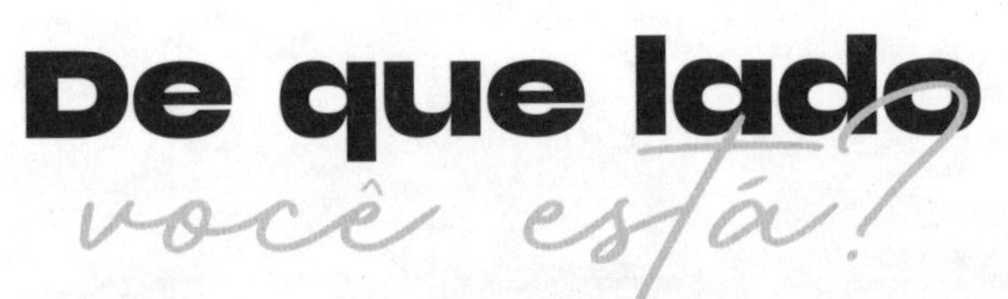

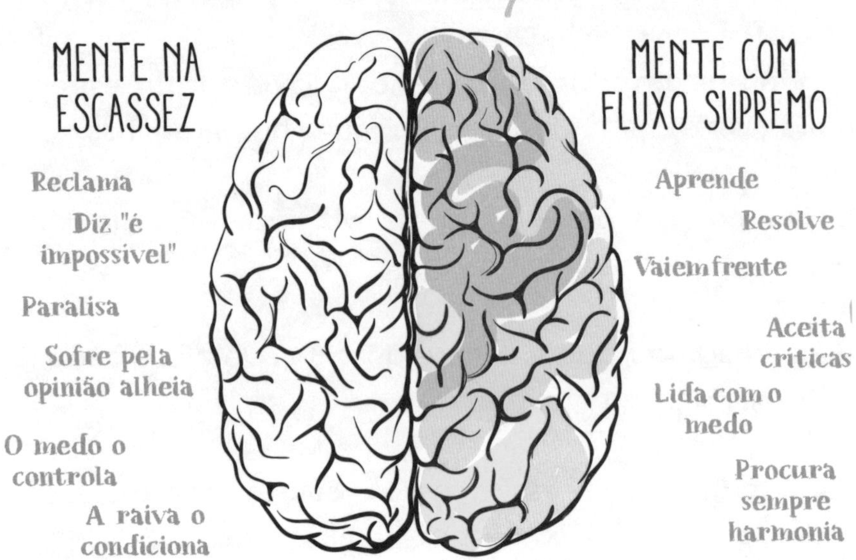

Prosperidade não vem só de um prêmio. Não é só o dinheiro propriamente dito.

As bençãos vêm de infinitas formas. Você recebe bençãos o tempo inteiro.

Você é Prosperidade Suprema!

ANOTAÇÕES

Quais downloads você fez a partir deste capítulo?

Quais decisões você toma a partir de agora?

7º Passo

Fluxo supremo

A vida é cheia de desafios, e tudo exige esforço.

O Fluxo Supremo está disponível em abundância como tudo na vida está para nós.

Quando não se fecha ou não se vive na escuridão da escassez, tudo se amplia e se renova para nós.

Não importa nem um pouco o momento em que se está, mas sim, decididamente, a forma de encarar o próximo passo.

O próximo passo precisa ser o **PRIMEIRO PASSO POSITIVO (P.P.P.)** na direção do resto do seu caminho.

O importante é escolher o trabalho que o leva para a frente, que o ajuda a evoluir. É importante escolher as amizades que o ajudam a ser melhor. Escolher os relacionamentos que o ajudam a crescer como um todo, proporcionando-lhe evolução e paz.

De nenhuma forma aceite menos do que você merece.

A Prosperidade Suprema é um estado de paz. Um estado de contentamento Supremo.

Quando você começa a prosperar e a viver de forma mais positiva, as pessoas à sua volta notam a mudança.

É normal você perceber as coisas a sua volta mudando.

Lembre-se e se orgulhe disto: você mudou. Você prosperou, e isso é muito bom.

Aplausos ENTUSIASMADOS para você

Alguns podem até tentar puxá-lo para baixo, mas lembre-se, essas são pessoas que já se sentem pequenas e estão tentando diminuí-lo para se sentirem maiores.

Agradeça pelos aprendizados que teve com elas, mas escolha se afastar e não compartilhar seus projetos e sonhos com essas pessoas.

Foque em construir uma rede de apoio positiva e fortalecedora.

Imagine partilhar seu projeto de vida ou seu sonho com alguém que não acredita em seu potencial. O que essa pessoa diria?

Provavelmente algo como "Você está maluco, isso nunca vai dar certo". Talvez até o lembre de um momento difícil vivenciado por um familiar, como o pai do rapaz na história, que desencorajou o filho a seguir seus sonhos, insistindo na "dura realidade" da vida.

É possível que tenhamos escutado esses discursos negativos ao longo de nossas vidas, frases do tipo "A vida é difícil", "É preciso ralar muito para conseguir dinheiro" ou "Você só alcança algo suando muito". Essas crenças vão se acumulando e formando nosso programa mental interno, que pode não estar nos conduzindo na direção que desejamos.

É hora de entrar em um fluxo supremo, em que as coisas começam a dar certo.

Todos podemos sair daqui hoje com a certeza de que as coisas vão melhorar.

E quando algo não estiver do jeito que queremos, devemos nos perguntar: "Que energia estou emitindo para atrair isso para minha vida?" e "O que posso aprender com essa situação?".

Essas são reflexões que deveríamos fazer constantemente.

Perceba que, assim como no exemplo do eco na montanha, a vida responde ao que emitimos.

Se enviarmos harmonia, receberemos harmonia de volta.

Se oferecermos gentileza, seremos recebidos com gentileza.

Se propagarmos amor, o amor nos envolverá.

E é esse sentimento de amor – que cura, ampara, acolhe e impulsiona – que precisamos cultivar primeiro dentro de nós. Somente quando aprendemos a nos amar é que podemos verdadeiramente amar os outros.

Se você não cultivar carinho e atenção pelas suas coisas, se não dedicar tempo e esforço para cuidar delas, será difícil prosperar e adquirir coisas novas.

A falta de amor e cuidado com o que você já possui reflete a sua relação com a prosperidade e o fluxo supremo de abundância.

O amor está intrinsecamente ligado a esses conceitos, pois ele se manifesta em diferentes formas e em diversas etapas de nossas vidas.

O amor materno é frequentemente comparado ao amor divino, dada a sua pureza e incondicionalidade.

Uma mãe acolhe seu filho independentemente do tempo que tenha passado ou das circunstâncias. Ela abre as portas de sua casa, prepara uma refeição quente e oferece amor e cuidado.

Essa cena é comum até mesmo diante de situações difíceis, como mães que fazem filas enormes para visitar seus filhos na prisão, levando comidas preparadas com carinho e itens para amenizar o sofrimento deles. Isso é amor em sua forma mais pura e genuína.

Entretanto, muitas vezes nos perdemos em nossas autocríticas e nos esquecemos de nos amar.

Olhamos no espelho e focamos em nossos defeitos, nos distanciando do amor-próprio, que é essencial para a cura.

Quando começamos
A NOS AMAR VERDADEIRAMENTE,
iniciamos um processo
de cura que se estende
PARA AQUELES AO NOSSO REDOR.

O amor cura, seja ele materno, paternal, fraterno ou romântico.

A palavra "companheiro" deriva do latim "cum panis", que significa "com pão". Antigamente, nas longas viagens marítimas, o pão era um dos poucos alimentos que não estragavam e era compartilhado entre a tripulação. Ser um companheiro significa compartilhar o "mesmo pão", a vida, os desafios e o futuro, por meio do amor.

Construir um futuro ao lado de alguém é uma jornada que se faz melhor com amor, pois ele é o alicerce para uma vida plena e próspera.

Por isso, quando nos amamos de verdade, conseguimos identificar o término de um ciclo e a abertura de um novo, evitando ficar presos em padrões antigos e desgastados.

Esse processo nos permite ingressar no fluxo supremo de energia e prosperidade, pois paramos de insistir em situações que já não nos servem mais.

À medida que nos amamos, nosso corpo se preenche de amor, elevamos nossa autoestima e fortalecemos nosso amor-próprio, fazendo com que aqueles ao nosso redor também sintam e expressem amor.

Nosso campo energético se transforma, e isso se reflete em como os outros nos tratam. Quando alguém nos desrespeita ou nos trata mal, é porque, de alguma forma, abrimos espaço para isso em nosso campo energético.

Meditação do Fluxo *Supremo*

É importante que estabeleçamos uma conexão intensa e profunda conosco.

Você vai poder realizar essa meditação de duas formas: pode ler com uma música relaxante de fundo ou apontar o celular para esta tela e ouvir na minha voz.

Neste QR Code vou disponibilizar essa meditação exclusiva para você.

Vamos então estabelecer uma conexão íntima conosco neste exato momento.

Se desejar, feche os olhos, permitindo-se mergulhar internamente. Fechar os olhos aqui não é um gesto grandioso; é apenas um meio de nos voltarmos para dentro, de nos observarmos e de nos conectarmos com a autenticidade do amor supremo.

Sinta agora, bem no íntimo do seu ser: "Estou me conectando com a verdade do amor supremo". Respire profundamente, perceba seu pulso, sinta o sangue fluindo através do seu corpo, revitalizando-o e trazendo prosperidade à sua vida.

Você sentiu? Sentiu o ar entrando e renovando todo o seu ser?

A vida que lhe foi prescrita até este momento talvez não faça mais sentido.

Portanto, respire profundamente, lembrando-se de que você é um ser único.

A sociedade pode estar enfrentando momentos difíceis, como guerras, e você também pode ter vivenciado fracassos consideráveis.

Contudo, neste exato instante, há pessoas celebrando grandes conquistas.

Cada um de nós é atraído e influenciado por nossas crenças individuais.

Respire profundamente e sintonize-se com a sua essência divina.

Decida agora: em qual frequência vibratória você escolhe acreditar? Escolha o que ressoa positivamente com você, o que parece benéfico para você neste momento.

O passado está se dissolvendo, e agora você está se dando a chance de renovar sua mente, de adquirir novos conhecimentos.

A luta interna, o conflito, são apenas manifestações da ignorância. Isso não faz mais parte de você; você deixou tudo isso para trás.

A inteligência divina reside grandiosamente em sua mente e em seu corpo.

Sinta, bem no fundo do seu ser: "Eu sou uma criação divina de prosperidade e abundância. A prosperidade habita em mim".

Saiba que você está em constante expansão: de conhecimentos, de projetos, de coisas boas.

Quando prospera, você, sendo uma pessoa generosa, contribui para a prosperidade daqueles ao seu redor. E não há absolutamente nada de errado nisso.

Você melhora o ambiente da sua casa, melhora qualquer lugar a que você vá, e às vezes melhora a vida de alguém apenas com uma palavra.

Respire profundamente e compreenda que ser feliz é alcançar a suprema prosperidade.

Afirme para si mesmo:

"Eu sou feliz. Eu sou feliz".

Neste momento, você está florescendo em seu trabalho, enriquecendo e gerando empregos.

Você está, de fato, possibilitando que outros na sociedade também tenham acesso a recursos.

Visualize-se como uma centelha de prosperidade e imagine que um imenso incêndio de abundância começa agora a partir dessa pequena faísca.

Não há nada de errado com você; esse é o seu caminho, o seu tempo no mundo. Sua alma e sua história são únicas.

Portanto, a partir de agora, entenda que não há necessidade de se comparar com nada nem ninguém.

Respire profundamente e liberte-se da tendência de se comparar, de pensar que precisa estar em outro lugar ou de sentir que deve ajudar a todos incessantemente.

Chega.

A positividade se inicia com a capacidade de apreciar as conquistas alheias. Sinta sua fé se fortalecer.

Suas afirmações, iniciadas neste exato momento, começam a criar o novo mundo que você tanto deseja.

Reconheça que não há nada nem ninguém o segurando.

A prosperidade suprema é um fluxo, e você pode entrar nele agora. Sinta-se adentrando no fluxo da prosperidade.

Visualize seus desejos como um rio de águas cristalinas, conduzindo-o a um belo jardim, cheio de paz e ar puro.

Agora, neste exato lugar, libere tudo aquilo que não lhe serve mais.

Deixe que a natureza se encarregue de limpar e transmutar as sombras.

As feridas que estavam abertas começam a se fechar.

O perdão que você concedeu hoje à sua criança interior o torna mais leve e mais puro.

Repita:
Agradeço às pessoas que já me acolheram e me ajudaram.
Agradeço por este momento de aprendizado.
Celebro e já agradeço pelo dinheiro que um dia foi gasto comigo.
É maravilhoso receber abundância ilimitada.
É maravilhoso sentir felicidade.
É libertador não ter medo de errar.
É incrível receber dinheiro e transformá-lo em um fluxo contínuo.

É magnífico ter uma energia inesgotável.

Respire profundamente e sinta a energia da prosperidade suprema envolvendo você.

Perceba que cada célula e cada molécula do seu corpo foram transformadas nesse momento, adentrando um fluxo inabalável de prosperidade.

Abra o peito, estique-se, retorne à sua cadeira, com os pés firmemente plantados no chão e as mãos repousando sobre as coxas.

Sinta seu corpo e reconheça que você está, de fato, inserido no fluxo da prosperidade.

Agora, abra os olhos lentamente.

Compreenda que o que você recebeu hoje é comparável à senha de um cofre. Tudo o que foi absorvido aqui é como os dígitos que abrem um tesouro de possibilidades.

Quem, senão você, poderá digitar essa senha, abrir as portas do cofre e acessar essa riqueza suprema?

Eu lhe entreguei a senha, mas a ação de digitar, abrir e usufruir depende exclusivamente de você.

É essa prosperidade que desejo para você, para sua família, para sua casa.

Desejo essa prosperidade para todas as pessoas que você

ama e, principalmente, para quando você se olhar no espelho e afirmar com convicção: "Eu sou prosperidade suprema".

Diga em voz alta: "Eu sou prosperidade suprema".

Sinta essa afirmação vibrar em seu peito. Mais uma vez, diga com força: "Eu sou prosperidade suprema"! Não duvide; você é uma fonte inesgotável de prosperidade.

Respire profundamente, solte o ar e confie.

Tenho certeza de que é isso que o Universo espera de você, é isso que o Universo deseja para você: essa prosperidade suprema.

Estimule as pessoas a viverem mais prósperas, estimule as pessoas a ganhar mais dinheiro, estimule-as com a leitura e com pensamentos positivos.

O mundo espera isso de nós.

Neste final de leitura, você não é mais a mesma pessoa, verá a si mesmo de uma maneira diferente.

E a partir de hoje, quando as pessoas olharem para você, perceberão a mudança e perguntarão: "O que você fez? Você está diferente".

E, internamente, você se lembrará: "Eu sou prosperidade suprema"!

ANOTAÇÕES

Quais downloads você fez a partir deste capítulo?

Quais decisões você toma a partir de agora?

PERGUNTA BÔNUS

Qual maior download o livro Prosperidade Suprema lhe proporcionou?

Te espero nas redes sociais

www.williamsanches.com

Canal William Sanches
Canal TV William Sanches

@williamsanchesoficial

/williamsanchesoficial

/williamsanchesoficial

Conheça os *meus projetos*

Livro **Método de Ativação Quântica YellowFisic:** Afirmações Mágicas de Poder

Livro **Destrave seu dinheiro:** Método Express de Cocriação de Nova Realidade Financeira

Livro **Em mim Basta!** O poder de pular fora quando nada mais faz sentido!

Livro **Quintessência:** Lei da Atração Acelerada

Livro **Desperte a sua Vitória:** Método Poderoso para Destravar suas Crenças Limitantes e Criar uma Nova Realidade

Livro **Conselhos para Dormir Bem:** Reprograme sua Mente de forma próspera com as Afirmações Positivas e viva com mais abundância

Livro **50 Perguntas** sobre a Lei da Atração para Iniciantes.

Livros para mudar o mundo. O seu mundo.

Para conhecer os nossos próximos lançamentos
e títulos disponíveis, acesse:

www.**citadel**.com.br

/**citadeleditora**

@**citadeleditora**

@**citadeleditora**

Citadel - Grupo Editorial

Para mais informações ou dúvidas sobre a obra, entre
em contato conosco através do e-mail:

contato@**citadel**.com.br